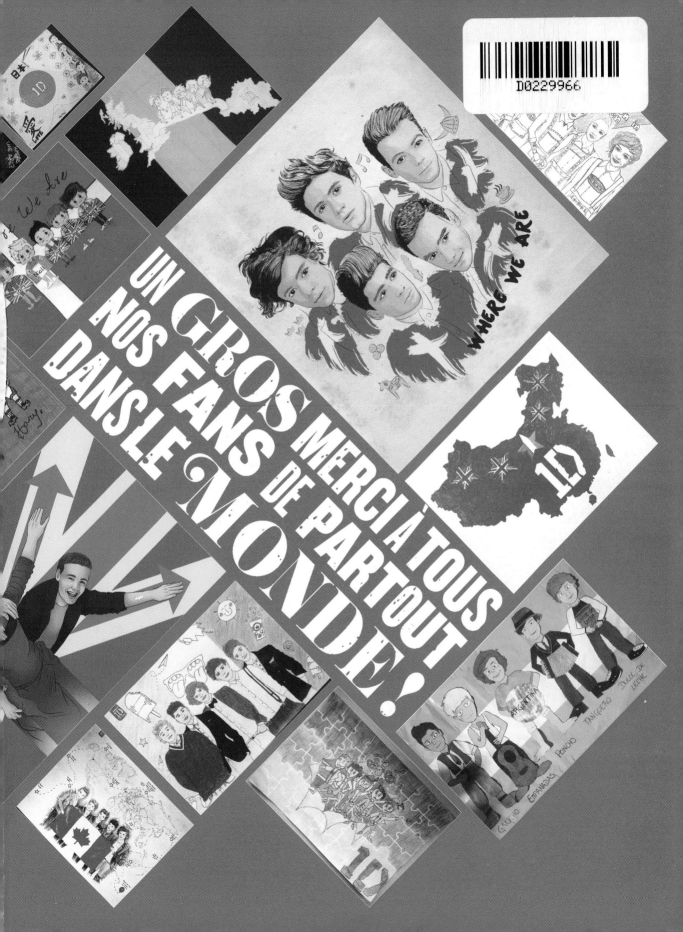

UN GROS MERCI À TOUS NOS FANS DE PARTOUT DANS LE MONDE!

WHERE WE ARE

100% OFFICIEL

NOTRE GROUPE
NOTRE HISTOIRE

NOUS, MAINTENANT

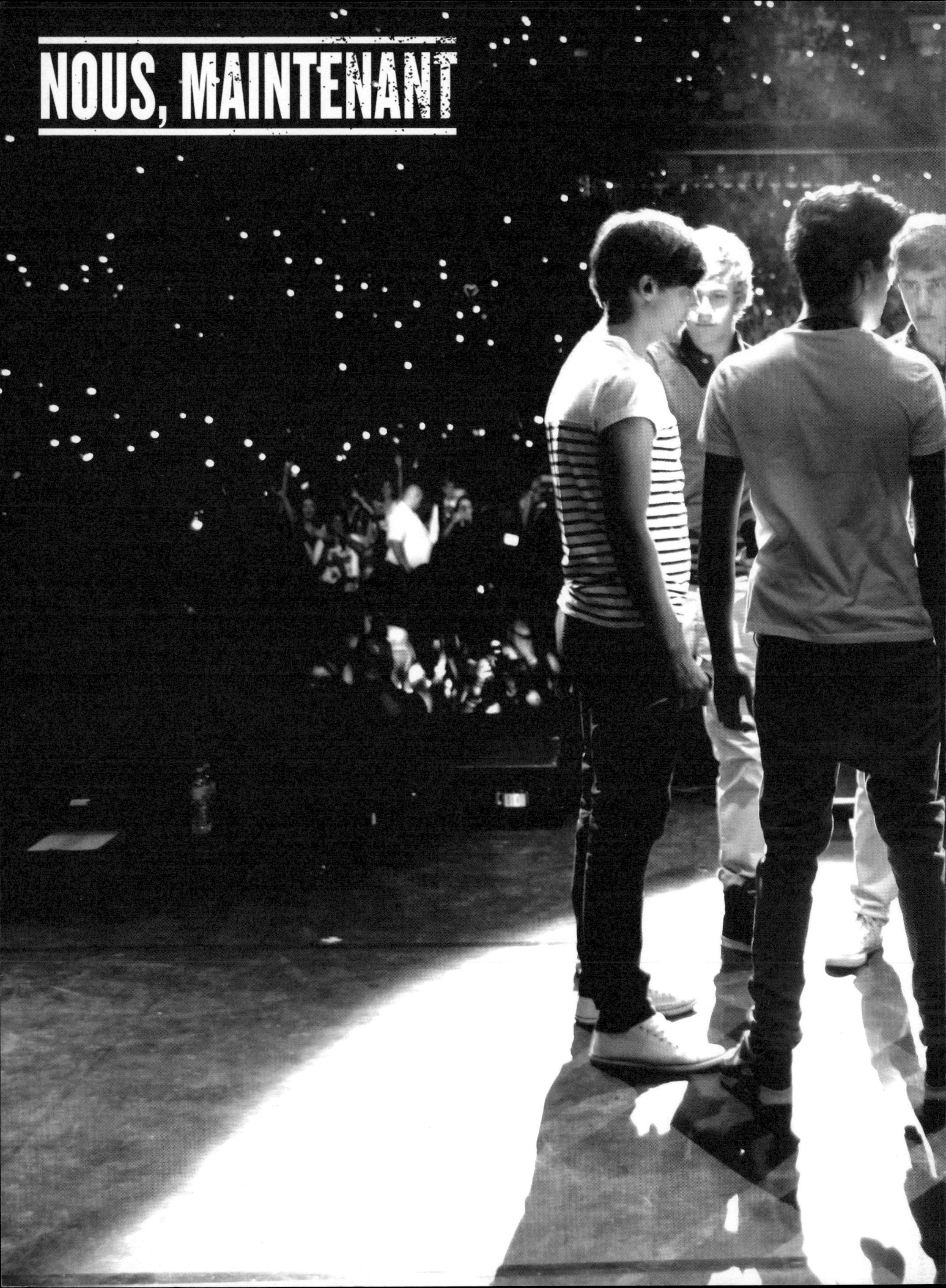

NOTRE GROUPE
NOTRE HISTOIRE

... à *Nous, maintenant* – le seul livre où tu pourras lire notre histoire, comme nous la racontons nous-mêmes, et avoir un accès privilégié aux coulisses du monde de 1D ! Les trois dernières années ont été incroyables pour nous et nous sommes heureux de revenir sur les 18 derniers mois – du lancement de notre premier single et album à la tournée *Take Me Home*, en passant par le tournage du film, les Jeux olympiques et Madison Square Garden – et de nous remémorer les moments inoubliables de cette période.

Nous vivons une époque absolument inimaginable et rien de tout cela n'aurait été possible sans vous, nos fans. Nous ne pourrons jamais assez vous remercier, mais nous allons essayer. MERCI ! MERCI ! MERCI !!!

Nous sommes impatients de voir ce que l'avenir nous réserve et de rencontrer nos fans en personne à l'occasion de nos tournées partout dans le monde.

Gros bisous,

Harry, Liam, Louis, Niall et Zayn

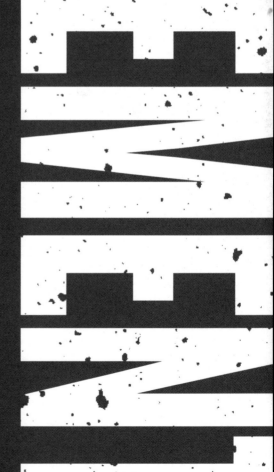

LANCEMENT

D'OÙ
NOUS
VENONS

Il m'est difficile d'expliquer à quel point ma vie a changé depuis l'émission *The X Factor*. Premièrement, je vis à Londres maintenant, je suis dans un band et j'ai la chance de voyager dans des endroits fascinants… C'est complètement fou, quand j'y pense !

Quand je nous compare à ce que nous étions au début de *The X Factor*, je sais que nous nous sommes énormément améliorés en tant que groupe. Sur tous les plans – les harmonies, le mouvement, nos prestations sur scène et notre conception même du band. Nous avons tous acquis beaucoup de confiance et avons le sentiment de pouvoir être réellement nous-mêmes devant une foule.

Bien que ma vie soit totalement différente de ce qu'elle était avant, certaines choses n'ont pas trop changé et je peux mener une existence normale. Les gens me disent toujours : « Ça doit être impossible de faire tout ce que tu faisais avant. » En fait, je peux aller prendre un verre ou sortir au restaurant sans me faire embêter par les paparazzis. Il faut seulement que je sois un peu plus rusé qu'avant.

Si je veux simplement sortir quelque part, je ne m'en fais pas trop. J'y vais. On peut se rendre dingue à s'inquiéter pour sa sécurité. Alors, il faut vivre sa vie. Je connais certains endroits où il y a des gens qui me connaissent et qui n'en feront pas tout un plat s'ils me voient.

Par moments, on peut se sentir envahi, mais il faut faire avec. Si tu marches dans la rue et que quelqu'un prend une photo, où est le mal? Tu es en public et tu dois t'y attendre, ça n'a rien d'extraordinaire. En revanche, si des gens venaient prendre des photos de moi à la maison, cela me dérangerait. Tout le monde a besoin d'un lieu privé.

L'une des devises que j'ai apprises depuis que je fais partie du band est: «Travaille fort, éclate-toi et sois gentil.» J'essaie de la respecter – et ça marche! Avant de t'amuser, tu dois d'abord travailler fort pour avoir du succès; et être gentil avec les autres devrait aller de soi. Si les gens étaient un peu plus gentils, le monde serait beaucoup plus agréable. Tu as le choix d'être correct avec les gens ou d'être un peu plus gentil que simplement correct, et cela peut ensoleiller la journée de ceux que tu croises.

Harry

CI-DESSUS : Lancement de la tournée internationale *Take Me Home* à l'02 Arena de Londres. Le 23 février 2013

TRAVAILLE FORT, ÉCLATE-TOI ET SOIS GENTIL

DÉCOLLAGE

OÙ NOUS SOMMES ALLÉS

Nous avons tellement de chance de pouvoir voyager dans des endroits incroyables! De tous les lieux que j'ai visités, Sydney est parmi mes préférés. C'est une ville à l'ambiance assez anglaise – elle ressemble beaucoup à Londres sur les plans culturel et social, mais en plus joyeuse, car le climat y est fantastique. Et puis, la vie est moins trépidante là-bas, parce que les gens sont plus chill.

J'adore aussi Los Angeles, mais c'est plus difficile de s'y sentir chez soi. Si tu arrives là sans connaître personne, tu peux te sentir plutôt isolé. En plus, ce n'est pas facile de s'orienter dans la ville et de se rendre où l'on doit aller. Par contre, si tu as des amis que tu peux rencontrer à des fêtes ou au restaurant, L.A. est la meilleure ville au monde.

New York est très différente de L.A., mais tout aussi extraordinaire. À New York, tu peux rencontrer facilement des gens. Il y a des événements tous les soirs, et tellement nombreux que tu peux sortir tôt dans la soirée et t'éclater jusqu'au petit matin. Là aussi, ça ressemble à Londres, mais en plus frénétique. Imagine que tu es à New York et que tu te réveilles à quatre heures du matin à cause du décalage horaire. Tu pourrais probablement aller voir un show quelque part si tu en avais envie. Personne ne mange avant dix heures le soir et le repas se prolonge jusqu'à une heure du matin. C'est vraiment cool. Tu peux aussi observer les gens à New York, ce que j'adore.

Nous avons rencontré des gens étonnants au cours de nos voyages. Michelle Obama était super. Son mari et elle sont exactement comme on les présente dans la presse – très normaux. Ils restent fidèles à eux-mêmes, même s'ils ont des emplois hyper médiatisés. Je pense que Michelle est une première dame extraordinaire. Tout le monde semble l'aimer, parce qu'elle est chaleureuse et gentille.

Bonne Journée du nez rouge !
Le 15 mars 2013

Quand nous sommes en voyage, j'essaie toujours de rencontrer des gens ordinaires et de voir comment ils vivent. À Chicago, un représentant de notre maison de disques m'a présenté à quelques gars du coin. J'ai joué au golf avec eux. C'était super de sortir et de faire quelque chose de différent. Ce sont d'anciens partenaires de Barack Obama qui jouait avec eux tous les dimanches. D'après eux, Obama est un homme très simple. L'un des gars m'a invité chez lui pour un barbecue, ce qui m'a permis de rencontrer sa famille. Des occasions comme celle-là sont vraiment chouettes.

Le voyage au Ghana pour Comic Relief a été une expérience inimaginable, qui a changé ma vie. J'ai reçu une grande leçon d'humilité de tous les gens que nous avons rencontrés et j'ai été très touché par tout ce que nous avons vu. Le succès de Comic Relief, qui a permis d'amasser beaucoup d'argent, est très important pour nous, car cela peut changer la vie de beaucoup de gens. Si on me demandait d'y retourner, je n'hésiterais pas une seconde.

Je n'ai pas encore appris de langue étrangère, mais j'aimerais beaucoup apprendre la langue des signes. Il y a beaucoup de gens qui parlent différentes langues, mais moi, je trouve que ce serait fantastique de pouvoir changer la vie d'une personne qui est incapable de communiquer. En Islande, j'ai rencontré une mère et sa fille qui ont utilisé la langue des signes et je leur ai répondu «merci» de la main. Elles n'en revenaient pas. Si je pouvais discuter dans sa langue avec une personne atteinte de surdité, ce serait un sentiment extraordinaire. À mon sens, c'est mieux que de pouvoir commander un steak frites en français. J'ai donc l'intention d'apprendre la langue des signes dès que j'en aurai l'occasion.

Je n'aime pas beaucoup le shopping à l'étranger; étonnamment, je fais des économies quand je suis en voyage. Surtout en tournée. J'achète de petites choses ici et là, mais il n'y a pas beaucoup de place dans ma valise! En plus, je ne peux pas faire d'achats en ligne, puisque nous sommes constamment en déplacement et que je ne saurais pas où faire livrer les articles. J'ai l'habitude de m'acheter de menus souvenirs des endroits où je passe ou de petits cadeaux pour mon entourage.

Je n'en ai jamais parlé à personne, mais je me suis procuré un souvenir intéressant à L.A. Nous avions été invités à rencontrer la fille de Johnny Depp à son studio. Un ami m'avait texté : «Il faut que tu voles quelque chose et que tu me le rapportes.» J'ai donc piqué un petit pain de savon rose dans la salle de bains de Johnny Depp. S'il lit ça, il va croire que je suis dingue!

Nous avons participé à de nombreuses émissions télévisées, mais il y en a une, au Japon, qui se distingue par son ridicule. Il y avait des confettis partout, des tonnes de techniciens qui s'agitaient dans tous les sens. Tout allait tellement vite qu'on n'arrivait pas à suivre ce qui se passait.

ONE DIRECTION, C'EST BIEN PLUS QUE LE BAND. C'EST L'ENSEMBLE DE TOUTES LES PERSONNES QUI NOUS ONT AIDÉS EN COURS DE ROUTE

Pour ce qui est des spectacles, jouer pour la première fois au Madison Square Garden a été un grand moment pour nous. En plus, presque toutes les personnes qui ont collaboré au projet One Direction étaient présentes, du gars qui a conçu la pochette de notre premier album aux producteurs des chansons.

One Direction, c'est bien plus que le band. C'est l'ensemble de toutes les personnes qui nous ont aidés en cours de route et qui continuent à nous aider. Il y a des gens avec qui nous travaillons depuis le début et cette fidélité est très importante pour nous.

Nos amis et nos familles étaient là aussi et nous avons pu prendre un verre tous ensemble après le spectacle. C'est une salle terriblement excitante, et c'était merveilleux de voir de la scène tant de gens que nous connaissions, venus nous encourager.

Nous, MAINTENANT

Honnêtement, même si toutes sortes de choses complètement folles se produisent autour de nous, nous n'avons pas eu trop de mal à garder les pieds sur terre. Je regarde autour de moi et je vois comment les gens ont la grosse tête. Si on vit uniquement dans sa bulle de célébrité, on peut finir par se croire supérieur à tout le monde. J'ai un peu pitié des gens qui laissent la célébrité envahir toute leur vie, car ils perdent contact avec la réalité. En dehors du band, nous menons tous une vie normale et gardons la tête froide.

J'ai une famille extraordinaire. Chacun me traite exactement comme il l'a toujours fait – et je ne vois pas pourquoi il en serait autrement. Mes amis sont les mêmes. Je pense qu'il faut seulement prendre un peu de recul de temps à autre et savoir mettre en perspective le projet dans lequel on s'est embarqué. C'est un métier super cool, mais cela ne nous rend pas meilleurs que les autres.

Je fais très attention à de petites choses, comme dire que les gens travaillent «avec nous» et non «pour nous». Je n'aime pas quand les gens disent que les autres travaillent pour eux – je suis sûr que c'est seulement pour se donner de l'importance. Nous travaillons tous très fort à atteindre un but commun.

CI-DESSUS : Séance photo pour le magazine *Aera*.
Le 18 janvier 2013

Une de mes amies plaisante si je ne lui tiens pas
la porte pour entrer quelque part : « Fais-tu ça parce
que tu es célèbre ? Tiens la porte pour moi ! » J'adore
me faire taquiner.

Si on n'est pas gentil avec les gens, la chose se
sait rapidement. Quand une personne te rencontre
pour la première fois, c'est tout ou rien. Elle dira à
ses amis que tu es « super gentil », ou bien que tu es
« un peu idiot », car on ne fait pas les manchettes en
disant que quelqu'un est « correct ». Si tu joues, même
un peu, à la diva, les gens t'en tiendront rigueur. Quand
je vois quelqu'un qui a l'air de se prendre pour un autre,
ça me heurte, au point de me convaincre encore plus de
ne pas devenir comme ça. Et j'en ai vu plusieurs avec la
grosse tête – des gens célèbres ou non. Je ne comprends
tout simplement pas pourquoi les gens ne sont pas plus
gentils les uns envers les autres.

JE CONNAIS DES GENS QUI NE S'ENTOURENT QUE DE BÉNI-OUI-OUI QUI LEUR RÉPÈTENT SANS CESSE QU'ILS SONT MERVEILLEUX, CE QUI PEUT FINIR PAR LEUR MONTER À LA TÊTE

Je m'entoure de gens qui exercent toutes sortes de métiers et j'aime fréquenter des lieux qui n'ont rien à voir avec l'industrie musicale. En plus, mes amis me préviennent si je me conduis mal ou si ce que je porte a l'air ridicule. Tous n'ont pas cette chance. D'ailleurs, je connais des gens qui ne s'entourent que de béni-oui-oui qui leur répètent sans cesse qu'ils sont merveilleux, ce qui peut finir par leur monter à la tête.

Je pense que c'est bien de donner en retour et qu'il n'y a rien de mal à acheter un cadeau à ma mère si j'en ai envie, mais j'essaie d'offrir des choses utiles au lieu de gros cadeaux choisis au hasard. Tu peux finir par avoir l'air d'un frimeur si tu arrives avec des tonnes de cadeaux à Noël ou pour un anniversaire, comme si tu voulais éclipser les autres. En plus, si tu offres constamment des cadeaux, au bout d'un certain temps, cela ne veut plus rien dire. Je préfère offrir des cadeaux réfléchis. Quand on a de l'argent, on peut acheter facilement des cadeaux qui coûtent cher, mais c'est plus difficile de dénicher un cadeau qui veut réellement dire quelque chose pour quelqu'un.

MUSIQUE & PLUS

J'ai encore de la difficulté à croire que nos deux albums ont atteint le sommet du palmarès dans tant de pays. Quand nous visiterons tous ces pays – ce que nous avons l'intention de faire –, nous nous en rendrons vraiment compte. Nous avions appris que nous étions numéro un en Australie pendant que nous y étions en tournée. C'était concret. Alors que, quand on ne voit que des colonnes de chiffres sur une feuille de papier, tout semble irréel. C'est difficile à concevoir. Je pense à tout ça dans mon lit le soir et je me dis : « Je ne peux croire que nous soyons numéro un aux Philippines ! »

Certaines personnes disent que One Direction c'est autant notre look que notre musique. Je ne pense pas que nous ayons jamais misé uniquement sur notre look ; donc notre musique doit valoir quelque chose, si nous restons au sommet des palmarès. Nos fans innombrables sont bien la preuve que notre musique doit être bonne. Nous sommes un groupe musical et nous adorons ce que nous faisons. Nous serions incapables de chanter des chansons auxquelles nous ne croyons pas.

Nous sommes assez vulnérables à la critique, car le groupe a été créé lors d'une émission de téléréalité. Je comprends que la critique agace certaines personnes, mais je n'ai rien à redire là-dessus. Chacun est libre d'aimer ou de ne pas aimer. Toutefois, si la qualité de notre musique diminuait, les gens auraient raison de nous critiquer, parce que, en fin de compte, nous sommes un band.

Si notre musique était mauvaise, les gens penseraient que nous ne sommes pas sérieux et comptons sur notre apparence. Nous pensons au contraire qu'il faut de la bonne musique pour que ça fonctionne. Nous avons l'impression que notre musique s'améliore constamment. Il se peut que certaines personnes ne nous aiment pas, mais nous faisons de la très bonne musique pop et tout le monde aime danser sur nos chansons dans les mariages.

NOUS SOMMES UN GROUPE MUSICAL ET NOUS ADORONS CE QUE NOUS FAISONS. NOUS SERIONS INCAPABLES DE CHANTER DES CHANSONS AUXQUELLES NOUS NE CROYONS PAS

Bien entendu, nous sommes très heureux que notre musique soit reconnue. C'est pourquoi les prix sont importants pour nous. Ma cérémonie de remise de prix préférée fut celle des Video Music Awards ou VMA. Je ne m'attendais même pas à ce que nous y soyons invités, c'est trop gros comme événement. Donc, pour nous, être invités à la fête, participer au spectacle et, pour couronner le tout, gagner trois prix, a été incroyable.

La soirée des BRIT Awards est toujours super aussi. Nous étions si excités quand nous y avons participé pour la première fois en 2012! Nous avons été sidérés de remporter le prix du meilleur single. En 2013, on nous a invités à chanter *One Way or Another (Teenage Kicks)* et c'était génial, parce que Comic Relief est une organisation caritative très importante.

En ce moment, je fais rénover ma maison. J'habite chez deux copains et mes trophées sont dispersés un peu partout. Il y en a deux sur le bord d'une fenêtre d'un ami, d'autres dans une chambre quelque part, et d'autres encore chez un troisième ami. La sœur d'un copain a volé un des trophées EMA (Europe Music Awards) et j'espère le récupérer. Les autres sont dans un entrepôt.

DES FANS FABULEUX

Je me souviens encore de l'émotion qui nous envahissait tout au début, quand nous arrivions aux studios de *The X Factor*. Nous étions excités au possible quand il y avait des fans dehors, et nous le sommes encore. Je n'en reviens jamais de voir tant de monde partout où l'on va. Parfois, les studios de télé sont situés loin de tout, mais les gens viennent quand même et c'est vraiment cool. Quand nous sommes allés à *The Today Show* à New York, nous ne savions pas à quoi nous attendre. C'était notre première vraie émission aux États-Unis et nous étions nerveux. Nous savions par Twitter et Facebook que nous avions quelques admirateurs là-bas, mais ils sont venus nous accueillir en si grand nombre que c'en était ahurissant.

Beaucoup d'artistes essaient de percer aux États-Unis et je pense que nous sommes arrivés au bon moment. Il n'y avait pas eu de boys band depuis un certain temps. C'est une période fantastique pour la musique britannique aux États-Unis, avec des artistes comme Adele et Ed Sheeran, qui sont incroyablement populaires. Tout ça grâce aux fans qui font passer le mot au sujet de la musique britannique.

Nous connaissons certains fans depuis trois ans et ils continuent de venir nous voir. Pour nous, c'est l'une des choses les plus agréables de notre aventure, car nous les connaissons par leur prénom et nous pouvons leur demander ce qui se passe dans leur vie. C'est super de revoir certains visages connus – et d'en découvrir de nouveaux.

Les fans ont été merveilleux avec nous. Ils se ressemblent partout dans le monde – ils sont universellement formidables. Parfois, dans la cohue, nous avons à peine le temps de poser avec eux pour une photo, mais c'est bien aussi quand il n'y a pas trop de monde, car nous avons le temps de nous asseoir pour discuter avec les gens. Je parlais l'autre soir à des fans qui vont à l'université et c'est fou de penser que si je ne faisais pas partie du band je serais probablement dans la même situation qu'eux. Ou même à l'université avec eux.

LES FANS
ONT ÉTÉ
MERVEILLEUX
AVEC NOUS. ILS
SE RESSEMBLENT
PARTOUT DANS
LE MONDE – ILS SONT
UNIVERSELLEMENT
FORMIDABLES

Comme nous adorons nous produire en spectacle et rencontrer nos admirateurs, les tournées sont probablement ce qui nous plaît le plus. Pour nos déplacements, nous aimons particulièrement l'autocar de tournée. Nous pouvons nous relaxer, manger et dormir quand nous voulons. J'essaie de rester tranquille. Je regarde un film, je parle avec les gars, mais c'est bien d'avoir du temps libre pour rester en contact avec les amis et la famille.

Cela dit, nous aimons bien rire et faire les fous. Une fois, pour déconner, nous nous sommes rués sur Paul, notre directeur de tournée. J'étais nu et je pensais que le combat ne durerait que quelques secondes, mais Paul est fort et je suis resté coincé pendant dix minutes, la tête prise comme dans un étau…

L'équipe est comme une grande famille et je pense que sans cet entourage nous deviendrions fous. Nous sommes loin de notre foyer et de nos amis, et nous avons besoin de nous appuyer sur certaines personnes en cas de pépin. Je peux toujours parler aux gars, mais aussi aux membres de l'équipe. Nous avons tous besoin les uns des autres et nous nous soutenons mutuellement.

Même si nous sommes loin de chez nous et travaillons de longues heures en tournée, nous avons toujours l'occasion de refaire le plein d'énergie. Nous pouvons faire la grasse matinée, ou bien aller s'entraîner au gymnase, déjeuner et nous rendre à la salle de spectacle à l'heure convenue.

En tournée, les lits sont plutôt confortables, et aux États-Unis les autocars sont énormes, équipés de lecteurs DVD dans les couchettes. J'emporte toujours des bougies parfumées en tournée : ça me rappelle la maison et je les allume souvent dans ma loge avant un spectacle.

Je pense que ce qui plaît aux gens, c'est que nos spectacles ne sont jamais tout à fait les mêmes. Nous faisons les cabotins sur scène et racontons des blagues, ce que la foule apprécie.

Le dernier spectacle d'une tournée serait celui auquel je voudrais assister comme spectateur, parce que ce soir-là pratiquement tout se déglingue. Les membres de l'équipe montent sur scène et nous lancent des objets pendant que nous chantons, et nous sommes particulièrement euphoriques, parce que c'est la dernière. C'est un show ludique et je pense que si tu y assistais, tu rirais toi aussi. Il est toujours plus long que les autres, parce que nous délirons beaucoup. J'aimerais voir un de ces spectacles sur vidéo. C'est probablement affreux, mais très rigolo!

La tournée mondiale est très importante pour nous et nous avons mis chaque détail au point. Nous avons proposé des idées au sujet de l'éclairage, des écrans, et de tout un tas d'autres choses dont nous n'avions pas le temps de nous occuper auparavant. Car, en fin de compte, c'est notre band et nous voulons qu'il reflète qui nous sommes. Notre idée était de faire un show que nous-mêmes nous aimerions voir. Nous nous produisons dans de nombreux pays et nous voulons que tout le monde passe un super bon moment avec nous. Nous sommes fiers de notre show, j'en aime chaque seconde. Si je pouvais retourner en arrière et tout recommencer demain, je le ferais.

EN APRÈS?

Où
NOUS
ALLONS

ous étions à la fois nerveux et excités de tourner le film sur 1D. Nous faisons beaucoup de choses que les gens ne voient pas, et il est bon que les fans sachent qui nous sommes vraiment. Nous avons tout révélé dans ce film – rien n'a été caché.

C'est vrai que nous faisons souvent les imbéciles. Nous nous sommes beaucoup amusés pendant le tournage et les gens pourront voir notre côté ridicule – ou plutôt le connaître encore mieux ! Nous nous sommes comportés avec naturel. Il n'y avait aucune mise en scène et nous oubliions souvent les caméras. Nous n'avons pas décidé d'aller faire du ski nautique ou quoi que ce soit uniquement pour rendre le film plus intéressant. Si la caméra ratait quelque chose, le réalisateur ne nous demandait pas de refaire une prise, car ça n'aurait pas fonctionné. Nous étions simplement nous-mêmes.

Pendant la tournée, nous avons aussi travaillé à notre troisième album. C'est vraiment super excitant, parce que nous participons davantage à l'écriture. Nous faisons des expériences, ce qui est fantastique. Nous voulons que notre troisième album soit le meilleur.

Nous n'avons absolument pas l'impression d'être au sommet de notre carrière. Nous avons à cœur de nous améliorer et de nous investir davantage dans notre art. Il nous reste tant de choses à faire. J'ai hâte de voir comment les choses vont évoluer. Je veux continuer à travailler fort, à m'éclater et à être gentil !

Nos vies ont changé énormément depuis notre audition pour *The X Factor*. Nous sommes infiniment plus occupés qu'avant. Je n'arrive pas à croire que j'ai choisi un métier où l'on travaille d'une manière si folle. Avant, j'étais tellement paresseux!

Il nous arrive de travailler de très longues heures, mais nous le faisons avec plaisir, sans y penser, parce que nous sommes heureux d'être arrivés où nous sommes. C'est tellement gratifiant et nous aimons vraiment notre travail. Il m'arrive d'être fatigué, et le matin j'aurais parfois envie de rester couché… Mais, quand je rejoins les gars, je suis impatient de commencer.

Je me suis habitué au décalage horaire et je n'y vois pas que des inconvénients. Par exemple, si mon horloge biologique est déréglée et que je me réveille au beau milieu de la nuit, j'aime regarder ma montre et me dire qu'il me reste encore beaucoup de temps pour dormir.

Liam et the Barlow !
Le 22 août 2012

Liam

LANCEMENT

D'OÙ NOUS VENONS

C'EST CE QUE J'AI TOUJOURS VOULU FAIRE

Twitter à Dublin.
Le 6 mars 2012

Jour 2 de la tournée Take Me Home.
Liam est à son meilleur...
Le 24 février 2013

C'EST SUPER GÉNIAL, JE M'AMUSE COMME UN FOU AVEC MES COPAINS

Être entouré de quatre autres gars complètement cinglés est une bonne façon de rester de bonne humeur quand on est fatigué. Nous ne prenons rien trop au sérieux et nous ne laissons pas les choses nous monter à la tête. Je ne me dis jamais qu'on est merveilleux parce qu'on participe à une autre émission de télé. Je pense plutôt: «C'est super génial, je m'amuse comme un fou avec mes copains.»

J'ai beaucoup de difficulté à choisir mes moments préférés de toute l'aventure 1D, parce qu'il y en a eu beaucoup. Si je devais absolument le faire, je dirais: la remise des prix EMA; jouer au Madison Square Garden; et être dans l'autocar de tournée avec les gars, à n'importe quel moment, en fait. Monter sur la scène du Madison Square Garden a été une expérience incomparable. On avait une scène secondaire, et on pouvait apparaître par des trous dans le plancher, et ainsi de suite. Et c'est un lieu mythique. C'était vraiment impressionnant de contempler la salle bondée et de nous dire que tous ces gens étaient là pour nous.

Mais j'aime aussi avoir deux semaines de congé de temps en temps, car ça nous donne le temps de prendre du recul et de réfléchir à la folle aventure qui nous est arrivée.

C'est très étrange de penser à nos débuts et de constater à quel point nous avons progressé.

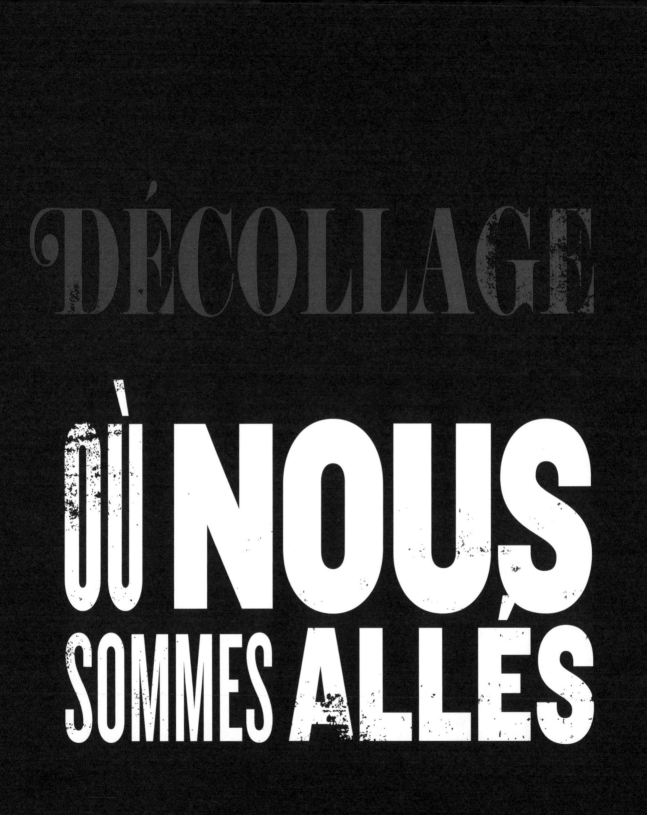

C'EST UN MONDE COMPLÈTEMENT NOUVEAU

Je suis impressionné par le nombre de pays que nous avons visités jusqu'à maintenant. L'Australie est l'un de mes endroits préférés. J'ai adoré mon séjour là-bas et j'ai appris à faire du surf avec Louis. Nous avons exploré en bateau le port de Sydney et avons vu son célèbre opéra.

Le Japon est fantastique aussi, et j'ai de merveilleux souvenirs de San Diego, où j'ai attrapé un requin-tigre par accident! Nous avions pêché toute la journée et je n'avais attrapé que de très petits poissons. J'ai alors décidé que j'étais nul à la pêche et j'ai laissé dériver ma ligne, quand soudain j'ai senti une touche… J'ai sorti de l'eau un jeune requin-tigre d'environ un mètre! C'était la seconde fois que j'allais à la pêche et à la fin de la journée je me sentais comme un pro.

J'adore essayer de nouvelles choses dans les pays que nous visitons. Louis a toujours été très extraverti, mais moi je ne l'étais pas du tout. Il m'a convaincu de faire des expériences et cela m'a donné confiance en moi. C'est super, parce que je peux en apprendre plus sur les diverses cultures du monde.

Le saut à l'élastique a été inventé en Nouvelle-Zélande. Nous aurions aimé en faire là-bas, mais notre contrat d'assurance nous l'interdisait. Nous avons essayé autre chose, le *sky fall*, considéré comme moins dangereux. C'est quand même assez «extrême» et pas fameux pour quelqu'un qui a le vertige, puisqu'on vole littéralement dans les airs. J'aime sortir de ma zone de confort pour découvrir de nouvelles cuisines et activités. C'est un monde complètement nouveau.

Notre voyage en Afrique pour Comic Relief est l'une des meilleures choses que j'aie faites et il a changé ma vie. C'est souvent la dernière chose à laquelle je pense avant de m'endormir le soir.

J'ai regardé des vidéos produites pour Comic Relief au fil des ans, mais rien ne se compare à ce qu'on ressent quand on est sur place. C'est très triste et très émouvant, mais aussi très inspirant de rencontrer les gens qui vivent dans ces régions défavorisées. Nous sommes allés dans des bidonvilles au Ghana, où les gens sont heureux même s'ils n'ont rien. Dans la rue à Londres, les gens ont tous l'air maussades et complètement accros à leur portable. Là-bas, les gens vous saluent et sourient, ils s'approchent de vous et disent bonjour.

It's very strange to look back to the early days and see how far we've come. It's weird because it feels like we've been in the band for ages, but at the same time it's gone so quickly. I'm excited about what else is to come.

Nous avons visité un hôpital pour enfants et c'était à briser le cœur. J'aurais voulu faire quelque chose pour les aider, mais je n'avais aucune idée de la manière dont je pouvais améliorer leur sort. J'aurais voulu avoir des connaissances médicales.

Nous n'avons rencontré que des gens formidables depuis la naissance de 1D. Jay-Z, par exemple. Et Robbie Williams est toujours très gentil et amical – nous jouons souvent au jeu vidéo *FIFA* avec lui. J'ai toujours été un grand admirateur de Michael Bublé. J'ai donc été heureux d'apprendre qu'il avait pris l'ascenseur avec mes parents lors de notre spectacle au Madison Square Garden.

Toujours blagueur, mon père lui a dit : « Il se peut que vous connaissiez mon fils, il fait partie de One Direction… »

Michael lui a répondu qu'il nous adorait et il a donné son numéro de téléphone à mon père. Nous sommes restés en contact depuis. Il m'a envoyé un texto pour m'annoncer qu'il allait devenir père et sa femme a dit que je serais un oncle très sexy ! Elle a aussi dit qu'elle aurait souhaité que Niall soit le père !

C'est bizarre, parce que Michael Bublé est le premier artiste que j'ai vu en spectacle. J'avais 14 ans et j'étais dans la quatrième rangée. C'est vraiment spécial de pouvoir maintenant lui parler comme à un ami. J'envoie aussi des textos à Michael McIntyre – il est si drôle ! J'ai l'habitude de lui texter ses propres blagues après avoir regardé son DVD, mais il faut absolument que j'arrête ça…

Nous avons rencontré la reine Élisabeth II à la Royal Variety Performance, et j'avais appris d'avance qu'il fallait l'appeler « Mam » et bien prononcer le mot. Mais ça ne m'a servi à rien, car j'étais tellement nerveux que j'ai baissé la tête sans rien dire. Nous étions les premiers dans la file et j'aurais voulu examiner les autres pour savoir comment me comporter, mais pas de chance.

Un des avantages des voyages, c'est qu'on peut se procurer des choses super cool. Louis et moi avons acheté des robots au Japon. Malheureusement, quand je suis revenu en Grande-Bretagne, je n'ai pas pensé que la tension électrique est différente, et le disjoncteur a coupé le courant quand j'ai actionné mon robot – maintenant réduit à un simple bibelot. Nous avons aussi acheté six pistolets au laser pour jouer sur la route – le sixième est pour Paul, notre directeur de tournée. Il est toujours partant pour ce genre de choses.

Je ne sais plus combien d'émissions de télé nous avons faites, mais *Surprise Surprise* fut l'une de mes préférées. Nous faisions semblant d'être des statues de cire, puis nous bondissions devant des filles. Elles étaient sous le choc!

Maintenant, nous allons avoir nos propres statues de cire et en sommes très excités. Je ne peux croire que les gens iront nous voir au musée Tussauds!

Nous, MAINTENANT

1D au Japon.
Le 18 janvier 2013

À la maison, nous avons toujours les mêmes amis qu'avant l'existence du band, et c'est très important pour moi. Ils me traitent comme ils l'ont toujours fait. Mon copain de collège, Andy, a déménagé à Londres à peu près en même temps que moi et il me rend souvent visite. Il emmène généralement ses amis et nous sortons tous ensemble. Nous sommes plutôt *nerds* et faisons des soirées de jeux ou de cinéma le mercredi, quand je suis à la maison. C'est super de faire des choses terre à terre et normales.

Mes amis et ma famille sont extraordinaires : ils savent faire la distinction entre celui que je suis réellement et la personne qu'ils voient sur scène. Quand je suis à la maison, je suis simplement «Liam», et ils ne me traitent pas différemment. Ce n'est pas comme s'il fallait s'asseoir tous ensemble et regarder les émissions de télé dans lesquelles j'apparais. D'ailleurs, chaque fois que je me vois à la télé, je n'arrive pas tout à fait à concevoir que c'est bien moi !

C'est bizarre, mais quand les gars et moi nous trouvons dans un groupe de personnes, il m'arrive de regarder autour et de me dire qu'il manque quelqu'un, avant de me rendre compte que celui que je comptais au nombre des absents, c'était moi… Je suis tellement habitué à nous voir tous les cinq sur des photos !

Mes amis et ma famille viennent souvent nous voir en spectacle, et j'ai pu emmener mes parents aux BRIT Awards, ce qu'ils ont adoré tous les deux. C'est tellement chouette de pouvoir faire des choses comme ça !

J'AI PU **EMMENER** MES **PARENTS** AUX **BRIT AWARDS,** CE QU'ILS ONT **ADORÉ** TOUS LES **DEUX**

MUSIQUE & PLUS

L'autre jour, quelqu'un m'a demandé ce que nous avons ressenti quand notre second album s'est retrouvé en première place dans 37 pays, et c'est là que ça m'a frappé. Penser que nous avons fracassé des records mondiaux, c'est juste… dingue. Tout récemment, je disais à Louis que c'est complètement fou d'être les premières personnes à faire une certaine chose. Nous sommes le premier groupe britannique qui s'est hissé en première place du palmarès américain avec ses deux premiers albums, de sorte que nous avons chacun une plaque des records du monde Guinness.

Quand j'étais petit, j'empruntais souvent à la bibliothèque *Le Livre Guinness des records*. Et, maintenant, nous sommes dedans! La plaque est accrochée dans ma salle de bains… En général, je n'aime pas tellement exhiber des prix et des photos de moi-même, je trouve ça un peu bizarre, mais cette plaque est vraiment spéciale.

Mes parents ont disposé pas mal de mes prix dans leur maison. En général, quand on gagne un prix, on reçoit un trophée factice sur scène. Le vrai, celui sur lequel on a gravé notre nom, nous le recevons plus tard. La plupart du temps, chaque membre du groupe a son trophée, ce qui est super agréable.

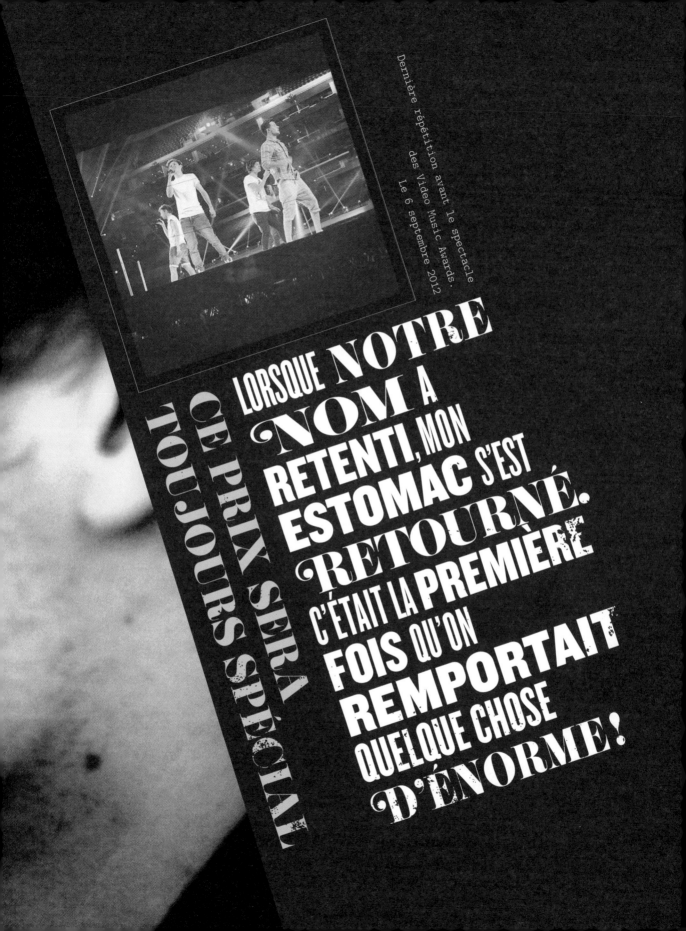

LORSQUE NOTRE NOM A RETENTI, MON ESTOMAC S'EST RETOURNÉ. C'ÉTAIT LA PREMIÈRE FOIS QU'ON REMPORTAIT QUELQUE CHOSE D'ÉNORME !

CE PRIX SERA TOUJOURS SPÉCIAL

C'EST UN DE MES SOUVENIRS PRÉFÉRÉS, DE TOUT TEMPS

CI-DESSUS: Liam et Niall
sur scène à Dublin.
Le 5 mars 2013

Je n'oublierai jamais la première fois que nous sommes allés aux BRIT Awards. En général, je ne m'énerve pas facilement, mais me retrouver assis à cette table a été l'une des expériences les plus terrifiantes de ma vie. Le dos tourné à la scène, je n'arrêtais pas de me retourner pour voir ce qui se passait, mais dès qu'on a annoncé les artistes en compétition pour le British Single j'ai fixé la table du regard en me disant : « J'espère que nous allons gagner, j'espère que nous allons gagner… » Je ne pouvais lever les yeux, parce que je savais combien ce serait formidable si nous gagnions. Puis, lorsque notre nom a retenti, mon estomac s'est retourné. C'était la première fois qu'on remportait quelque chose d'énorme. Ce prix sera toujours spécial dans ma mémoire.

Les Video Music Awards ont aussi été extraordinaires. Quand nous avons appris que nous gagnions, nous nous sommes jetés les uns sur les autres, et c'est un de mes souvenirs préférés, de tout temps. Je ne l'oublierai jamais. Je me sentais vraiment ému et nous nous sommes sentis plus proches les uns des autres que jamais auparavant.

Les gens ont dit que, puisque nous sommes un boys band, la musique est secondaire – mais pourtant c'est notre principale priorité. En fait, la musique est tellement importante à nos yeux que nous nous investissons dans toutes les étapes du processus créatif. Nous n'accepterions jamais de tout miser sur notre image et de lancer un album qui ne nous emballerait pas complètement et dont nous ne serions pas fiers. Aujourd'hui, *Last First Kiss*, *One Thing*, *She's Not Afraid* et *C'mon, C'mon* sont probablement mes chansons préférées. Elles sont toutes assez différentes, mais elles comptent beaucoup pour moi, et je suis impatient d'écrire d'autres chansons.

DES FANS FABULEUX

O ù que nous allions, nos fans sont extraordinaires et sont tout pour nous. C'est génial de savoir que les gens aiment ce que nous faisons, alors que nous faisons ce que nous aimons le plus au monde. Nous voyons toujours les fans qui nous suivaient au début. C'est incroyable qu'ils soient restés avec nous tout ce temps.

Les fans qui m'ont demandé de les suivre sur Twitter me font constamment des reproches. Je suis toujours heureux de les suivre, mais si nous sommes très occupés et que j'oublie de le faire, ils ne tardent pas à me le dire. Je dois constamment me rappeler de prendre le temps d'écrire. Je me souviens d'une fille qui s'était pointée devant le studio six jours de suite. Elle me demandait de la suivre sur Twitter, mais il se passait toujours quelque chose et j'oubliais de le faire. Aujourd'hui, enfin, je la suis. Il faut simplement me rappeler gentiment certaines choses de temps en temps.

ATTERRISSAGE PARFAIT

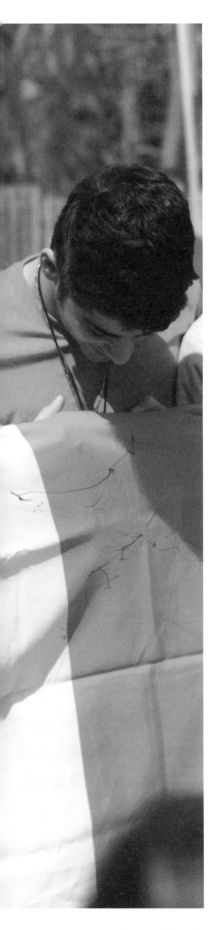

La tournée mondiale est une des choses les plus extraordinaires que j'aie faites. Dès que j'ai su que nous allions partir pour une tournée gigantesque, j'ai senti que nous avions accompli quelque chose dont nous avions toujours rêvé. C'était un de nos buts dès le départ. Quand nous avons commencé à répéter et à nous préparer, c'était planant. Nous étions tous dans un état second.

Tout ce qui entoure une tournée est fabuleux, des répétitions jusqu'à la vie sur la route. Nous avons fait la plupart de nos répétitions à Leeds et nous avons passé de longues journées à nous assurer que tout serait parfait. Je suis celui qui a toujours peur que quelque chose aille de travers, si bien que je m'investis énormément dans les répétitions. Une fois, j'ai oublié les paroles sur scène et ça m'a tellement énervé que je me suis pris en main, et maintenant je répète et répète sans cesse. Heureusement, nos répétitions se sont passées plutôt en douceur, à part quelques moments un peu comiques ici et là.

Pendant les répétitions, nous logions dans un bel hôtel doté d'un spa. Presque tous les soirs nous allions à la piscine, puis au sauna, pour nous détendre. Il n'était pas question de sortir ou de traîner dans les bars jusqu'à tard le soir.

Quand j'ai passé la journée à travailler fort et que je rentre à l'hôtel ou à la maison, j'ai besoin de temps à moi, que ce soit pour aller nager ou pour jouer sur ma PlayStation. J'aime profiter de ces moments pour décompresser avant d'aller dormir. Autrement, j'ai l'impression d'avoir travaillé sans arrêt.

L'autocar de tournée est un refuge où l'on s'amuse. On peut faire enfin des choses qu'on doit toujours remettre à plus tard, faute de temps. J'adore les films d'horreur et les films d'action ; et *FIFA* et *Call of Duty* sont mes jeux préférés. J'ai aussi une nouvelle appli sur mon téléphone, qui m'apprend un nouveau mot tous les jours et comment l'employer correctement. Les gars trouvent ça drôle, mais cette appli m'a appris beaucoup de choses.

Le seul désavantage d'être sur la route est qu'il faut souvent nous arrêter pour manger quelque chose sur le pouce, ce qui signifie beaucoup de burgers. Pendant la tournée *Take Me Home*, cependant, nous avons tous décidé de manger sainement et de nous entraîner. Et comme notre entraîneur a travaillé avec l'équipe olympique britannique de boxe et qu'il est très dur, nous avons tous une excellente alimentation maintenant.

En tournée, les choses qui me sont essentielles sont mon téléphone, mon ordinateur portable, ma PlayStation et parfois un oreiller de mon lit, parce qu'il me donne l'impression d'être un peu chez moi.

Dans l'autocar, nous faisons toujours plein de trucs pour nous marrer et nous jouer des tours, comme faire des batailles de nourriture ou nous mettre des glaçons dans le dos. Mais j'aime bien garder la plupart de mes tours pendables pour la scène. En fait, j'ai l'habitude plutôt irritante de tenter de faire des crocs-en-jambe aux gens. Une fois, j'ai bien failli faire tomber Harry. Je ne sais pas ce que je ferais si je faisais tomber quelqu'un pour de vrai. Je me sentirais terriblement mal à l'aise.

Nous n'avons pas de rituel strict avant nos spectacles, mais, chaque soir, nous nous serrons tous ensemble et disons quelques mots qui comptent beaucoup pour nous… En général, ce que nous disons est un peu grossier, peu approprié, mais drôle.

Singing songs is one thing, but when you've actually written something and you hear people in the crowd singing the lyrics it's such a buzz. You can't beat that.

<< Chanter des chansons est une chose, mais quand on a composé une chanson et qu'on entend la foule l'entonner en chœur, ça fait tout un effet. C'est indescriptible ! >>

Les tournées sont extraordinaires pour une foule de raisons. En fait, notre tournée mondiale ne se comparait à rien de ce que nous avions déjà fait. Nous avons eu l'occasion de voir tant de nouveaux endroits! C'est comme être un étudiant et partir en voyage, sauf que nous voyageons assez luxueusement, en donnant des spectacles en cours de route. On mange des choses étranges, on loge dans de beaux hôtels et on s'éclate tous ensemble. Que pourrait-il y avoir de mieux?

Nous considérons tous notre tournée mondiale comme notre première véritable tournée. J'avais toujours rêvé de faire un vrai gros spectacle, mais là c'est énorme. Il se passe tellement de choses pendant chaque concert que nous avons l'impression d'être de vraies pop stars, même si ça sonne un peu idiot.

Après avoir vu des gens comme Jay-Z et Kayne, qui font exploser des pièces pyrotechniques et qui ont des décors fabuleux, nous voulions quelque chose de semblable. Comme nous allions consacrer huit mois de notre vie à cette tournée mondiale, il fallait qu'elle soit fameuse. Nous nous sommes investis dans absolument tous les aspects du show, de la mise en scène jusqu'à l'ordre des chansons, en passant par le programme de la tournée. C'était vraiment «notre tournée à nous» et notre dur labeur a porté ses fruits, car les répercussions sont incroyables!

En tournée, rencontrer nos fans est ce qu'il y a de plus merveilleux. Chaque fois que nous le pouvons, nous nous arrêtons pour signer des autographes et nous faire photographier. Parfois, lorsqu'il y a des tonnes de gens, c'est trop dangereux, mais nous faisons toujours de notre mieux pour faire plaisir à nos admirateurs. Je suis sûr qu'il doit y avoir des photos de moi qui ne sont pas très flatteuses. Même quand nous sommes épuisés après un vol de 12 heures, il y a toujours des gens pour prendre des photos, et sur certaines d'entre elles je dois avoir les yeux enflés ou l'air ahuri.

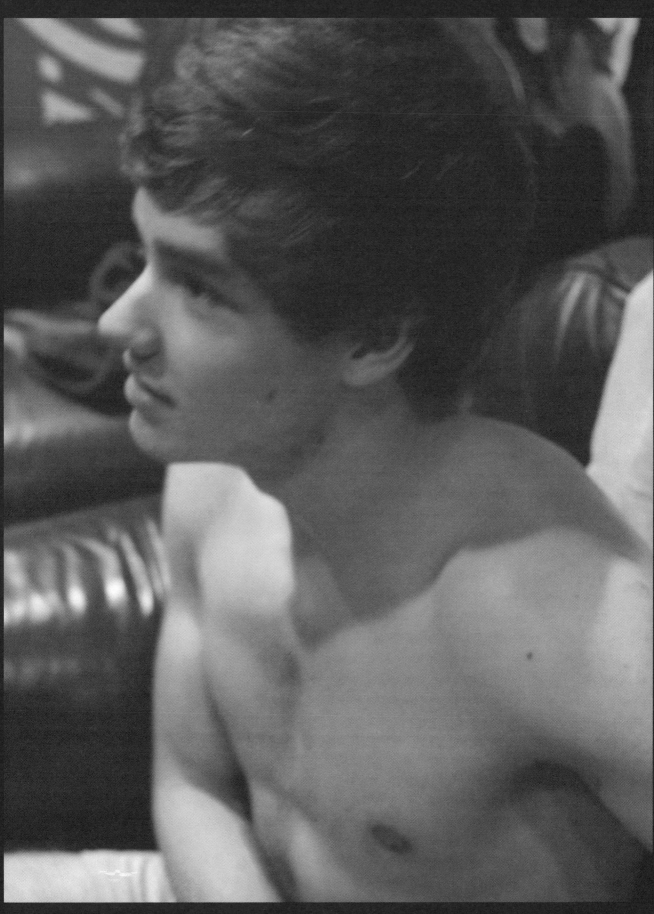

Où
NOUS
ALLONS

Quelle est la suite pour 1D ? Eh bien, nous sommes vraiment ravis du film. Quand nous l'avons vu pour la première fois, nous avons eu l'impression que notre vie était soudain beaucoup plus réelle. C'est très bizarre de regarder un film sur soi-même. C'est troublant de penser qu'un tel film, si personnel, peut changer la perception que les gens ont de nous. Nos fans nous connaissent jusqu'à un certain point, mais le film montre à tout le monde qui nous sommes réellement. Il révèle tout, littéralement.

Jamais nous n'aurions cru faire un film un jour, mais c'est vraiment une des choses qui a le plus d'importance pour nous. Je dois ajouter qu'après mon apparition dans *iCarly,* je ne pense pas devenir un grand acteur dans un avenir rapproché…

La composition de notre troisième album se déroule vraiment bien. J'adore écrire et donner libre cours à ma créativité, et c'est extraordinaire de participer à la création de chansons que les gens vont écouter et aimer. Après une séance d'écriture où nous avions travaillé à *Last First Kiss,* je suis rentré chez moi et j'ai continué à écrire. J'avais sans cesse de nouvelles idées et je n'arrêtais pas d'envoyer des textos au type qui la produisait avec nous. J'ai travaillé sans relâche cette chanson, alors, quand les gens disent que c'est leur chanson favorite sur l'album, j'éprouve une immense fierté. Il n'y a rien de plus gratifiant au monde. Chanter des chansons est une chose, mais quand on a composé une chanson et qu'on entend la foule l'entonner en chœur, ça fait tout un effet. C'est indescriptible !

Quand je pense à l'avenir, je veux seulement que tout cela continue. C'est ce que j'ai toujours voulu faire et j'aimerais que ça ne s'arrête jamais. Je meurs d'envie de me produire dans des stades. Ce serait tellement cool !

D'OÙ NOUS VENONS

LANCEMENT

Quand on nous a réunis tous les cinq dans un groupe, c'était vraiment étrange, mais aussi fabuleux. Après le *boot camp*, la semaine que nous avons passée ensemble chez Harry pour apprendre à nous connaître demeurera toujours très spéciale pour moi.

Le lancement de notre premier single, l'enregistrement de notre première vidéo et notre premier passage à *Radio 1* seront toujours des souvenirs incroyables. Il nous est arrivé une foule de choses géniales ces dernières années, mais au lieu de chercher à prendre du recul pour les comprendre, je pense qu'il vaut mieux suivre le courant et prendre chaque jour comme il vient. Ça me rendrait un peu fou si je me mettais à trop réfléchir à tout, bien qu'il soit agréable de temps en temps de repenser à tous les bons moments que nous avons vécus.

Le soir, dans mon lit, il m'arrive d'essayer de prendre conscience de tout ce qui s'est passé. J'ai du mal à croire que tout cela m'est arrivé, à moi. C'est frustrant, parce que j'aimerais me détacher des choses pour les examiner du point de vue de quelqu'un d'autre, mais je n'y arrive pas. Liam m'a raconté que la réalité ne l'avait pas vraiment frappé avant qu'il voie le film. Nous sommes incroyablement fiers de ce que nous avons accompli et en serons éternellement reconnaissants à nos fans et aux gens qui nous entourent.

Avant de passer l'audition pour *The X Factor,* je ne savais pas ce que j'allais faire de ma vie, et c'est vraiment fou de penser que je suis devenu une pop star. J'espérais vaguement aller à l'université, mais je n'étais pas certain d'y être un jour admis. Je n'avais pas vraiment la discipline qu'il faut… À l'époque, je ne pensais qu'à sortir et à m'éclater tout le temps. D'une certaine façon, j'imagine que l'audition pour *The X Factor* m'a sauvé. Je n'ai jamais cru qu'une telle chose pouvait m'arriver, et ça m'a libéré de l'obligation de prendre une décision quant à mon avenir. Je pense que j'aurais aimé fréquenter l'université pendant un an, mais je n'aurais sans doute pas tenu le coup trois ans !

JE N'AI JAMAIS CRU QU'UNE TELLE CHOSE POUVAIT M'ARRIVER

I can't imagine my life without One Direction now. We've been to some incredible places and met amazing people.

« Maintenant, je ne peux imaginer ma vie sans One Direction. Nous sommes allés dans des endroits extraordinaires et j'ai rencontré des gens remarquables.

DÉCOLLAGE

OÙ NOUS SOMMES ALLÉS

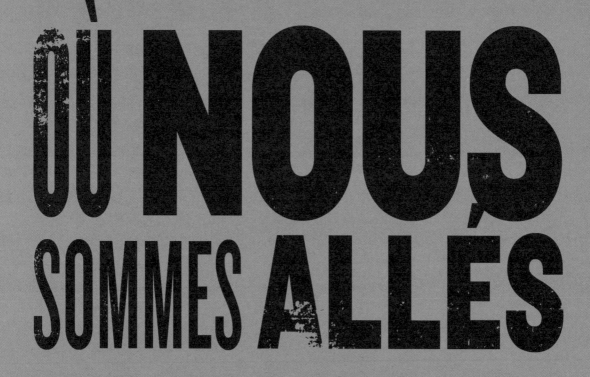

My main hope for the future is that we all remain best friends throughout everything. I would hate it if anything affected our friendships.

CI-DESSUS : Louis captivé par un film sur le premier voyage des Beatles aux États-Unis.

« Mon plus grand espoir est que nous restions tous les meilleurs amis du monde, quoi qu'il arrive. J'aurais horreur que quelque chose ébranle notre amitié. »

PARCOURIR LE MONDE EST L'UN DES AVANTAGES LES PLUS MERVEILLEUX DE FAIRE PARTIE DU GROUPE

aintenant, je ne peux imaginer ma vie sans One Direction. Nous sommes allés dans des endroits extraordinaires et j'ai rencontré des gens remarquables. Michelle Obama et ses filles ont assisté à un de nos spectacles, ce qui était vraiment très cool.

De tous les endroits que nous avons visités, c'est l'Australie qui m'a le plus impressionné. C'est comme le Royaume-Uni, mais avec un climat extraordinaire! La première fois que nous sommes allés là-bas, Liam et moi avons appris à faire du surf – c'était à peu près au moment où les choses sont devenues vraiment dingues. Nous étions sur la plage depuis un quart d'heure quand nous avons vu un hélicoptère voler au-dessus de nous.

Parcourir le monde est l'un des avantages les plus merveilleux de faire partie du groupe. C'est génial de pouvoir dire que j'ai visité tous ces endroits et de partager tout ce que j'ai vécu avec les autres. Je ne voudrais vraiment pas rater l'occasion d'explorer le monde. Dès que nous arrivons quelque part, je me mets en quête de choses intéressantes à faire. Lorsque nous avons une journée de congé, je ne reste jamais là à ne rien faire. Ce serait gaspiller mon temps. J'essaie aussi d'apprendre quelques mots dans d'autres langues, même si ce n'est que «oui», «non» et «bonjour». J'aime à croire que je suis bon en français, mais ce n'est pas vrai! Je peux à peine me débrouiller, mais j'aimerais m'améliorer. C'est un de mes buts.

NOUS AVONS FAIT BEAUCOUP D'ÉMISSIONS DE TÉLÉ COOL DANS LE MONDE ENTIER

On apprend beaucoup de choses en voyageant. Par exemple, j'ai appris que, au Japon, montrer ses tatouages est choquant. Nous portions donc des manches longues partout où nous allions. Liam et moi avons acheté des robots là-bas. Conçus pour jouer au football l'un contre l'autre, ils peuvent aussi applaudir, faire des pompes et se relever s'ils tombent… Celui de Liam ne fonctionne pas pour l'instant ; il doit s'acheter un adaptateur de prise. Ce robot est probablement la chose la plus extravagante que j'aie jamais achetée, mais la plus ridicule est un miroir interactif. Il est dans mon salon, mais je devrais le mettre dans ma chambre, parce qu'on peut le programmer pour afficher la météo, les nouvelles et les mises à jour sur Facebook. Ce miroir suscite bien des commentaires, mais je n'ai pas encore eu le temps de le programmer correctement.

Nous avons fait beaucoup d'émissions de télé cool dans le monde entier. Les Video Music Awards furent évidemment un événement gigantesque, mais, pour moi, la meilleure émission est *The X Factor*, au Royaume-Uni. Nous venons de là, et nous avons l'impression d'avoir quelque chose à prouver quand nous y retournons. Nous reconnaissons aussi quelques visages dans l'équipe de production. C'est un peu angoissant, mais c'est aussi passablement rassurant.

Nous, MAINTENANT

algré toute la folie qui nous entoure, je peux dire en toute honnêteté que nous avons réussi à garder les pieds sur terre. J'ai toujours trouvé très important de rester proche de mes parents et de mes amis à la maison. Je leur parle tout le temps au téléphone et ils viennent me voir en spectacle.

Ce serait facile de me faire de nouveaux amis dans le monde du spectacle et de me laisser emporter dans un tourbillon, mais fréquenter mes vieux copains et constater qu'ils me traitent comme ils l'ont toujours fait me ramène sur terre. Je pense que si je perdais le contact avec les gens avec qui j'ai grandi, ça paraîtrait vraiment beaucoup. C'est pareil pour les autres membres du groupe – on ne laisserait jamais l'un de nous avoir la grosse tête sans le couvrir de ridicule !

Ma mère m'a toujours encouragé dans tout ce que j'ai entrepris, et on peut dire qu'elle est ma source d'inspiration. C'est elle qui m'a emmené à ma première audition. C'était pour une production de *Grease* à l'école. Je veux rendre toute ma famille fière de moi, et l'un des plus grands avantages de faire partie de ce groupe est de pouvoir gâter les miens, mes amis et ma copine. C'est très important pour moi.

Il est difficile pour nous tous de saisir l'ampleur que les choses ont prise, mais ça doit être encore plus difficile pour nos proches. Nous le vivons au jour le jour, mais eux le voient à la télé et dans la presse, ce qui doit être très intense. Mais tout le monde adore ça. Ma famille aime assister à nos spectacles et ma mère a accumulé des tonnes de coupures de journaux à notre sujet – elle a même un portrait en pied de moi, grandeur nature, découpé dans du carton ! Elle a aussi accès à mon courrier électronique, de sorte qu'elle peut suivre tout ce que je fais. C'est hilarant.

Louis se prépare à faire
du surf à L.A.
Le 6 septembre 2012

We're unbelievably proud of what we've achieved, and so grateful to the people around us and our fans.

« Nous sommes incroyablement fiers de ce que nous avons accompli et en serons éternellement reconnaissants à nos fans et aux gens qui nous entourent. »

MUSIQUE & PLUS

Dès le premier jour, nous avons travaillé très fort pour trouver la signature sonore de One Direction, et nous y sommes parvenus en nous impliquant dans l'écriture des chansons. C'est pourquoi le succès de notre musique nous tient tant à cœur. Nous étions tous très nerveux quand nous avons lancé nos albums, et quand *Take Me Home* s'est hissé en première place dans 37 pays, nous en avons été abasourdis. En quelque sorte, c'est presque intimidant, mais nous en sommes très fiers.

The X Factor nous a valu la célébrité instantanée, si bien que les gens qui n'avaient jamais entendu notre musique pouvaient douter de sa valeur. D'une certaine façon, cela nous obligeait à nous surpasser. C'est pourquoi il fallait absolument réussir nos deux albums et y graver des chansons que nous aimions vraiment, qui nous faisaient planer.

Nous adorons tous faire de la musique, ce qui veut dire que nous n'aurions jamais pu faire une tournée mondiale avec des chansons que nous n'aimions pas. Pour notre troisième album, nous nous impliquons à chaque étape du processus créatif.

Parmi nos chansons, ma préférée est *Moments*, écrite par Ed Sheeran. J'aime le son de ma voix dans cet enregistrement. J'aime aussi *Loved You First* et *Back For You*, parce que Liam, Zayn et moi avons participé à son écriture. Comme elle parle de nos petites amies, elle est très personnelle.

C'est vraiment super de recevoir des prix pour notre musique ; pour nous, c'est la reconnaissance ultime. Comme les Video Music Awards sont une cérémonie d'une ampleur extraordinaire, c'était fantastique de gagner, mais j'ai l'impression que les BRIT Awards resteront à nos yeux l'événement le plus significatif. La première année que nous y sommes allés, nous étions en compétition pour un prix et ne pensions pas gagner. Quand nous avons entendu notre nom, je vous assure que nous n'aurions pas pu être plus heureux. Nous y produire cette année et gagner un autre prix, c'est la cerise sur le gâteau ! Depuis que je suis tout petit, les BRIT Awards

Louis et Zayn discutent avec des fans en ligne.

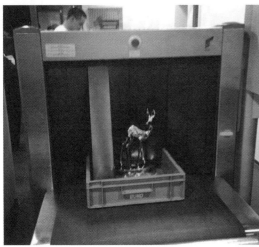

Merci à l'Allemagne ! Merci pour le Bambi.
Le 22 novembre 2012

ont toujours été pour moi un événement majeur. Je me souviens de cette fois où j'ai entendu l'annonce des BRIT Awards 2013 à la télé, avec ma voix en ouverture. C'était vraiment bizarre !

Je pensais que j'aurais l'air un peu prétentieux si j'exposais chez moi mes récompenses, mais j'en suis très fier, alors pourquoi ne pas les montrer ? Je les ai donc placées sur un bureau, avec mon ruban adhésif et des enveloppes !

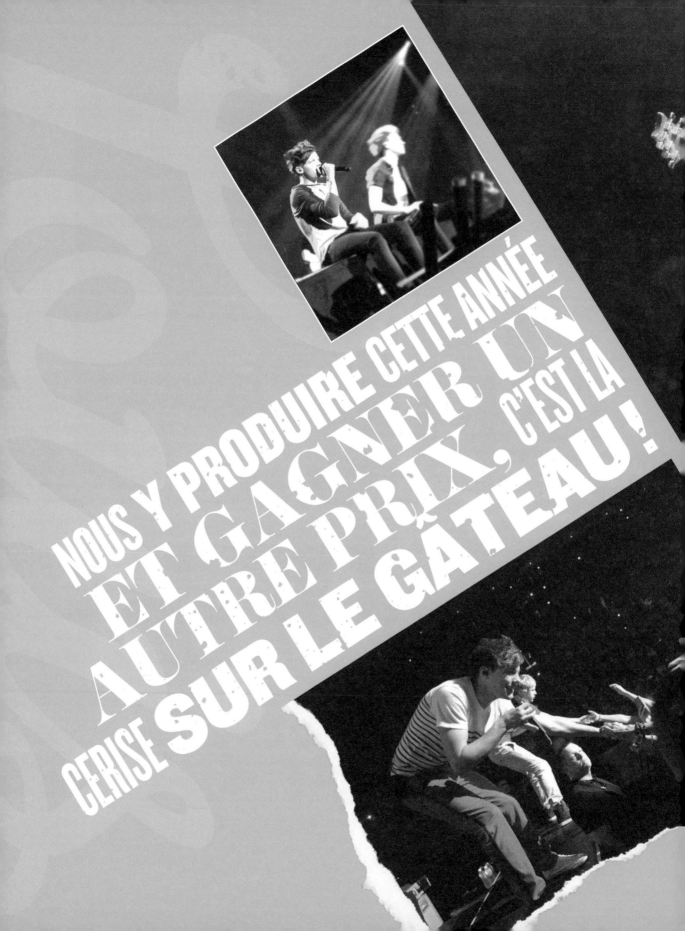

NOUS Y PRODUIRE CETTE ANNÉE ET GAGNER UN AUTRE PRIX, C'EST LA CERISE SUR LE GÂTEAU !

DES FANS FABULEUX

Les gens nous demandent souvent en quoi nos admirateurs du monde entier diffèrent les uns des autres, mais à mon avis il n'y a aucune différence. Nos fans japonais sont un peu plus réservés que les autres, mais sont tout de même marrants et fébriles, et toujours si excités de nous voir!

Nos fans sont tout pour nous. Ils nous soutiennent merveilleusement, et grâce à eux nous avons la chance de faire ce que nous aimons le plus, chaque jour de notre vie. Nous connaissons le nom d'un grand nombre d'entre eux et nous les voyons tout le temps. En fait, nous en avons rencontré des tonnes au cours des dernières années, et c'est vraiment chouette qu'ils nous soient restés si fidèles. Nous faisons toujours notre possible pour nous arrêter et bavarder avec nos fans et apprendre des choses sur eux. Parfois, si la situation est vraiment dingue, les gens de la sécurité nous éloignent, mais nous essayons tout au moins de leur adresser des signes de la main, de dire bonjour et de signer des autographes.

ONE DIRECTION

OMG!!!!

NOS FANS SONT TOUT POUR NOUS

Nous recevons souvent de drôles de cadeaux de nos admirateurs. Après avoir lu des entrevues dans lesquelles nous parlons des choses que nous aimons, plusieurs fans nous offrent certaines de ces choses. Un jour, j'ai dit à un journaliste que j'aimais beaucoup les carottes, et depuis lors des admirateurs m'en apportent souvent. Cela dit, la plupart des gens veulent seulement que nous les suivions sur Twitter, ce que nous faisons volontiers, et nous essayons de tweeter le plus souvent possible pour dire à tout le monde où nous en sommes.

ATTERRISSAGE PARFAIT

SUR LA ROUTE

Nous avons tous très hâte de faire la tournée *Take Me Home*. Premièrement, nous adorons être sur la route, parce que c'est toujours amusant. Et la tournée dure huit mois, ce qui est dingue.

Je fais toujours mes bagages à la dernière minute. Je mets généralement dans ma valise ce qui me tombe sous la main. Mais j'emporte toujours un chapeau, pour le cas où mes cheveux ne seraient pas convenables. Et puis, j'aime bien emporter mon ordinateur portable, mon iPod et ma PlayStation.

Je trouve très facile de me relaxer quand je voyage. Après les spectacles, c'est super agréable de passer du temps tous ensemble et de discuter dans l'autocar. C'est là que nous passons le plus de temps ensemble. C'est aussi un endroit idéal pour téléphoner à nos amis et à notre famille. Il faut bien nous arrêter de temps en temps pour penser à nous. J'aime aussi prendre l'avion. Après avoir passé quelques journées très chargées, nous pouvons décrocher complètement en avion, regarder des films ou même dormir.

Nous faisons toujours des bons coups quand nous sommes loin de chez nous. Nous sommes plutôt doués pour trouver des façons de nous divertir. Un jour, en France, pour échapper à l'ennui, Liam et moi avons quitté les loges en cachette. Notre directeur de tournée, Paul, nous croyait bien sages, mais nous avions trouvé une sortie de secours. Dans la rue, nous avons pris une photo avec des admirateurs et l'avons transmise à Paul. Comme il s'inquiète toujours pour des broutilles, même si nous ne faisons absolument rien, nous nous tordions de rire, mais il ne nous a pas trouvés drôles du tout.

C'est génial d'être en tournée. Après avoir travaillé vraiment fort sur la musique, c'est fantastique de se produire en spectacle devant nos fans. Et, comme il n'y a jamais deux concerts identiques, nous savons que nous allons vivre une expérience nouvelle chaque fois que nous montons sur scène. En plus, c'est dingue de voir la réaction de notre public.

La tournée *Take Me Home* compte vraiment beaucoup pour nous, parce qu'elle est mondiale et grandiose. C'est hallucinant de vendre tant de billets, surtout après avoir réglé minutieusement tous les détails. Nous avons eu beaucoup de plaisir à préparer cette tournée des mois durant. Nous nous impliquons énormément dans tous les aspects de One Direction et nous avons toujours des tonnes d'idées. Nous avons même établi le programme des chansons.

Nous ne prétendons pas être les meilleurs danseurs, mais nous avons à cœur de nous améliorer et nous aimons bien les chorégraphies de notre spectacle. Nous aimons les versions que nous faisons – *Teenage Dirtbag* et *One Way or Another* (*Teenage Kicks*), par exemple. Elles s'éloignent un peu de notre style habituel, mais c'est intéressant de faire des expériences.

Il n'y a rien comme sortir de scène après un concert génial et se sentir électrisé. C'est particulièrement agréable quand il y a des amis et des membres de la famille dans la salle, parce que nous pouvons tous nous réunir dans notre loge ou même sortir prendre un verre. Il faut dire que nous ne sommes pas très rock'n'roll dans notre loge. D'autres groupes démolissent complètement la leur, mais nous nous contentons généralement de batailles de nourriture…

Où NOUS ALLONS

Pendant la tournée, nous avons passé beaucoup de temps à écrire de nouvelles chansons. Je pense que notre confiance en notre signature sonore se raffermit au fil des albums. J'ai du mal à croire que nous en sommes déjà au troisième. Quand nous voyageons, je note constamment de nouvelles idées et j'en discute ensuite avec les autres.

J'ai aussi du mal à croire que nous avons réussi à faire un film ! Nous étions émus dès que nous avons regardé la bande-annonce, et le film nous a complètement chamboulés. Voir tout le chemin que nous avons parcouru, c'est fou.

Dans le film, nous voulions montrer exactement ce que c'est que de faire partie de One Direction, montrer des choses que le public ne voit jamais. Et nous voulions aussi y intégrer une partie du spectacle, pour que les gens puissent le revivre. Tout le monde nous voit en concert et en train de nous amuser, mais nous travaillons aussi très fort, et je crois que cet aspect de notre vie ressort du film. Nous sommes encore normaux et, comme le font des millions de gens lorsqu'ils sont chez eux, nous aimons jouer à *FIFA* sur la PlayStation. Nous sommes simplement cinq garçons réunis dans un groupe musical, à qui il arrive une foule de choses complètement loufoques.

Le film a été une véritable découverte pour nous, car nous n'avions jamais rien fait de tel. Des caméramans nous avaient suivis quand nous avions fait *The X Factor*, mais le film était probablement un peu plus intense. J'avais déjà chanté devant des caméras auparavant, mais là nous nous sentions tellement à l'aise que nous avons fini par oublier ces appareils. Nous faisions des choses stupides et après nous nous disions : « Zut ! Ça vient d'être filmé… »

Le métier d'acteur m'a toujours passionné et c'est une chose que j'aimerais faire si j'en avais l'occasion. Qui sait ce qui peut arriver ? Mon plus grand espoir est que nous restions tous les meilleurs amis du monde, quoi qu'il arrive. J'aurais horreur que quelque chose ébranle notre amitié.

Je ne vois pas 1D disparaître dans un avenir rapproché, et aucun de nous ne le souhaite. Nous nous éclatons tous comme des fous. Pourquoi voudrions-nous autre chose ?

D'OÙ NOUS VENONS

ANCLEMENT

Tout a changé pour nous dès que nous avons auditionné pour *The X Factor*. Avant cette émission, nous menions tous une vie normale : nous nous levions le matin, allions à l'école, rigolions, faisions nos devoirs, jouions au foot, puis nous dînions et un peu plus tard nous allions nous coucher. C'était pareil tous les jours et je ne voyais jamais plus loin que la semaine suivante. Maintenant, je pourrais dire ce que je ferai le 13 novembre 2014. À cet égard, ma vie est plutôt bizarre…

J'imagine que les changements les plus importants sont attribuables au fait que notre groupe est devenu extraordinairement populaire et que nous vivons tous à Londres maintenant, même si aucun n'est originaire de cette ville. En fait, j'ai quitté l'Irlande pour venir vivre à Londres !

Ma ville natale, Mullingar, compte environ 20 000 habitants, et on a l'impression que tout le monde se connaît, mais je peux parcourir les rues de Londres en voiture sans jamais voir une seule personne que je connais. Ç'a été un déménagement assez bouleversant, mais à part le travail je fais toujours les choses que j'ai toujours faites. Quand j'ai congé le samedi, je vais au football, je vois mes copains, je vais manger chez Nando's ou je passe la journée à regarder Sky Sports à la télé, avec ma guitare entre les mains. Loin des feux de la rampe, tout est comme avant. Sous les projecteurs, cependant, tout a changé. Je ne peux plus vraiment sortir faire les courses, alors j'achète tout en ligne. Et quand je vais au cinéma avec les gars, nous allons à la dernière séance du soir, quand c'est tranquille, pour que personne ne sache que nous sommes là.

QUAND JE VOIS OÙ NOUS EN SOMMES, EN TANT QUE GROUPE, JE N'EN CROIS PAS MES YEUX

J'ai tellement de bons souvenirs de ma vie au sein du groupe que je pourrais en parler pendant des jours. L'année 2011 a été complètement folle. Nous l'avons commencée en remportant un BRIT Award, ensuite nos deux albums ont occupé la première place du palmarès aux États-Unis, puis nous nous sommes produits aux Jeux olympiques et au Madison Square Garden... C'est beaucoup.

Jouer au Madison Square Garden fut l'une des meilleures expériences de ma vie. Nous avions fait construire un podium en forme de T à l'avant de la scène et nous avons surgi à travers le plancher. Je me souviens qu'en regardant vers le haut j'ai vu l'immense tableau d'affichage sur lequel on pouvait lire Madison Square Garden. J'ai hoché la tête. Je n'arrivais pas à croire que nous étions là.

À gauche de la scène, il y avait des amis et des membres de nos familles, tous venus à New York en avion pour nous voir. Nous avons pris un verre tous ensemble après le spectacle. C'était extraordinaire!

Quand je vois où nous en sommes, en tant que groupe, je n'en crois pas mes yeux. Bon nombre de mes amis sont à l'université maintenant et j'aurais pu y être moi aussi. Quoique je n'étais pas très doué à l'école... Qui sait où j'aurais abouti? Je suis tellement heureux de tout ce qui est arrivé que jamais je ne me plaindrai quand je serai fatigué ou que mon lit me manquera.

DÉCOLLAGE

OÙ NOUS SOMMES ALLÉS

New York est une ville tellement cool à visiter ; j'adore l'Australie aussi. Les Australiens ont un sens de l'humour qui ressemble au nôtre et ils sont toujours prêts à rire. Le Japon aussi est fantastique – les gens sont super gentils et respectueux, et la bouffe est incroyable.

Nous avons adoré visiter tous ces pays européens pendant la tournée *Take Me Home*. C'est super de connaître beaucoup de cultures différentes, parce qu'on apprend énormément de choses. Le contraste entre, disons, l'Espagne et l'Italie est incroyable : à quelques heures de vol seulement, les gens sont complètement différents.

L'une des choses les plus intéressantes, quand on voyage, c'est la nourriture. En Italie, les mets italiens ne goûtent pas la même chose qu'en Angleterre. C'est ce que la vraie cuisine italienne doit goûter !

Parfois, nous n'avons pas le temps de voir grand-chose des pays où nous allons, et c'est dommage. Lors de notre première visite à Madrid, on nous a amenés directement de l'aéroport à l'hôtel – nous sommes passés devant des tas de sites connus, mais n'avons pas eu la chance de nous arrêter. Nous sommes restés toute la journée dans la chambre et sommes rentrés chez nous le même soir. Nous n'avons rien vu d'autre que l'hôtel. Au contraire, pendant la tournée *Take Me Home*, nous avons beaucoup de temps et voyons des tas d'endroits intéressants – nous en profitons pleinement.

Je ne suis pas très fort sur le shopping quand nous sommes en voyage. J'ai quand même acheté un t-shirt de foot en revenant de notre voyage avec Comic Relief au Ghana – ç'a été si extraordinaire ! Je voulais un souvenir pour me le rappeler.

Niall

Honnêtement, je n'ai jamais rencontré de gens plus gentils et plus amicaux que les Ghanéens. Faire l'émission de télé pour *Comic Relief* a été l'une des meilleures expériences de toute ma vie. C'est indescriptible. Environ 70 000 personnes vivent dans un bidonville de trois kilomètres de long et c'est l'une des choses les plus tristes qu'on puisse voir. Heureusement qu'il y a des gens qui essaient de les aider et de changer leurs vies. Pouvoir en faire partie a été un grand honneur pour nous.

Depuis nos débuts à *The X Factor*, nous avons rencontré des tas de gens. Simon Cowell demeure l'une des personnes les plus chouettes que je connaisse, même s'il est tout à fait normal quand on lui parle. Il est comme n'importe qui. Il aime les mêmes choses que nous – les femmes, les voitures et la musique – et c'est un chic type toujours prêt à rigoler.

Robbie Williams est un autre gars super gentil. Quand nous sommes allés à la Royal Variety Performance, il est venu dans nos loges et a joué à *FIFA* avec nous, puis il nous a invités chez lui à L.A. Michael Bublé est aussi un gars très cool ; sa femme et lui sont charmants. Il veut faire un numéro avec nous pour la télé canadienne. Il m'a envoyé un texto : « Je vous trouve fantastiques, vous êtes talentueux et drôles, et je pense que les Canadiens adoreraient ça. » Nous aimerions faire une chanson avec lui. Si jamais ça arrivait, je sauterais du pont de Londres.

La rencontre de Michelle Obama et de ses filles a été une expérience formidable pour moi, parce que je suis un admirateur du président Obama. Les filles sont parfaites dans leur rôle et Michelle Obama a été tellement amicale. Elle nous a même invités à dîner un de ces jours – je n'arrivais pas à le croire. J'adorerais y aller !

C'est complètement fou de réaliser que des gens comme Katy Perry et Rihanna savent qui nous sommes. Nous avons aussi eu la chance de faire des émissions de télé incroyables. Je pense qu'à notre second passage à *The Today Show* à New York, il y avait 17 000 personnes. Les fans sont restés dehors au froid pendant environ une semaine. Quelques jours avant l'émission, je suis allé devant le studio, dissimulé derrière mon capuchon. C'était tard le soir – je n'arrivais pas à dormir à cause du décalage horaire – et il y avait déjà quelques milliers de filles. Si elles m'avaient reconnu, j'aurais eu des problèmes, mais c'était génial à voir !

C'est toujours agréable de retourner à *The X Factor*, parce qu'on y rencontre des gens avec qui on a déjà travaillé, et qu'on peut y jouer devant un auditoire. Nos performances ne sont plus comme à nos débuts et c'est bien de pouvoir montrer à quel point nous avons changé en tant qu'artistes.

Nous aimons toujours donner des spectacles. Aux États-Unis, il y a ce qu'on appelle des *sheds*. Ce sont des genres d'amphithéâtres où environ un tiers de la foule est sous un toit, et il y a un grand champ gazonné à l'arrière. On peut y réunir jusqu'à 26 000 personnes et tous les billets sont vendus le soir même. Jouer devant une foule si nombreuse est une expérience incroyable – surtout dans des endroits comme Dallas, par une chaleur de 30 degrés. Je jouerais sur ce genre de scène tous les jours !

NOUS ADORONS NOUS PRODUIRE EN SPECTACLE POUR NOS FANS

Grâce à nos amis et à nos familles, nous gardons les pieds sur terre. L'important, c'est de savoir qui on est. Si on s'embarque dans le show-business sans savoir qui on est et qu'on est mal dans sa peau, c'est un désastre. C'est peut-être pourquoi les gens changent, alors que ce n'est vraiment pas nécessaire. Pourquoi vouloir changer et devenir quelqu'un qu'on n'est pas? Pourquoi vouloir devenir une diva aux yeux des autres?

J'ai entendu des histoires de vedettes qui font des caprices, mais quand on les rencontre ce sont des gens tout à fait charmants – il ne faut pas croire tout ce qu'on entend. Parfois, une vedette n'a pas le temps de s'arrêter pour parler à ses fans et ceux-ci se mettent à la détester pour cette raison, alors qu'elle est très accessible quand on la rencontre pour de vrai – seulement très occupée. Nous essayons de nous arrêter et de parler à nos admirateurs chaque fois que nous en avons l'occasion, mais il arrive que nous soyons pressés pour une raison ou pour une autre, et que ce ne soit pas possible. Mais, croyez-moi, nous faisons toujours de notre mieux.

Nous sommes cinq gars normaux; nous ne jouons absolument pas à la diva. Nous trouverions ridicule qu'un membre du band commence soudainement à faire des caprices ou à agir comme un idiot. Cela ne passerait vraiment pas.

Nous restons tous en contact avec nos familles, autant que possible, et je ne perdrai jamais de vue mes vieux amis. J'ai connu certains d'entre eux à l'école primaire. Mes amis m'accompagnent en tournée ou viennent me visiter à Londres. Tous les gars emmènent des amis en tournée et, comme nous nous connaissons tous, nous formons un gros groupe.

Quand nous avons commencé, mes proches étaient tellement excités qu'ils en parlaient tout le temps. Ils étaient heureux que ça marche si bien pour nous. Puis, quand je suis rentré à la maison, j'ai insisté pour qu'ils me traitent exactement comme avant. Un jour, j'ai dit à des copains : «J'aimerais bien sortir prendre une bière, alors, dès que vous aurez fini de parler de One Direction, on y va.» Je blaguais à moitié, mais je voulais qu'ils me disent ce qui se passait dans leur vie au lieu de seulement parler du band. Ils savent tout ce qu'il y a à savoir et ils aiment bien mieux prendre une bière avec moi et parler de football que d'entendre parler de notre plus récent single!

L'une des choses que j'aime du succès, c'est qu'il permet de gâter ses amis, mais je n'aimerais pas que les gens pensent que je le fais pour me mettre en valeur. J'ai remboursé l'hypothèque de ma mère et je lui ai acheté une voiture – des choses dont elle avait besoin –, mais je n'achète pas des cadeaux extravagants tout le temps.

J'ai essayé de donner de l'argent à mon père, mais il a refusé. Il accepte à peine que je lui fasse un cadeau à Noël. J'aimerais faire rénover la maison dans laquelle il vit, mais en même temps je ne veux pas jeter mon argent par les fenêtres.

Quand je vais au pub avec mes amis, nous payons chacun une tournée, comme il se doit. Je ne commande pas de bouteilles de champagne. Ce n'est tout simplement pas mon style.

En répétition avant le festival iTunes. Le 20 septembre 2012

C'EST SUPER DE CONNAÎTRE BEAUCOUP DE CULTURES DIFFÉRENTES, PARCE QU'ON APPREND ÉNORMÉMENT DE CHOSES

L'IMPORTANT, C'EST DE SAVOIR QUI ON EST

MUSIQUE & PLUS

Nous avons lancé notre second album, *Take Me Home*, dans de nombreux pays en quelques jours. À chaque étape, nous apprenions qu'il était numéro un dans un autre pays, puis un autre, et encore un autre. En quatre jours, il était numéro un dans 37 pays. Nous ne pouvions pas le croire. Aux États-Unis, ce fut le deuxième album le plus vendu en 2012, ce qui est complètement irréel.

Notre musique représente tout pour nous. C'est vrai que nous ne sommes pas de bons danseurs, mais nous pouvons écrire des chansons et nous savons chanter. Il est important pour nous que les gens aiment ce que nous faisons.

Je pense que mes chansons préférées sont celles que nous avons écrites et auxquelles nous avons collaboré. *Back For You* parle de gars qui quittent leurs petites amies pour aller en tournée et veulent qu'elles sachent qu'ils reviendront les chercher. Louis, Liam et Zayn ont participé à l'écriture de *Last First Kiss* et je pense que c'est la meilleure chanson du second album. C'est une chanson honnête et vraie.

Tout le monde aime les chansons sentimentales, et je les adore aussi. *Heart Attack* est une chanson qui se fredonne bien et nous adorons la jouer en public. Nous croyons en notre musique et je pense que ça paraît quand nous la jouons. Si on n'aimait pas ce qu'on chante, ce serait vraiment moche d'avoir à le faire sur scène et ça donnerait un mauvais spectacle. C'est pourquoi nous sommes réellement exigeants.

Nous avons adoré participer aux BRIT Awards ces deux dernières années. C'est super génial et la bouffe y est délicieuse, on prend un verre et on côtoie certaines des plus grandes stars au monde. Ed Sheeran m'a confié qu'en 2011, quand il s'est retrouvé assis entre Rihanna et Bruno Mars, il se disait : « Je ne suis qu'un petit rouquin ; qu'est-ce que je fais ici ? » Je me disais la même chose. Je n'arrivais pas à croire que j'étais dans la même pièce que de si grandes vedettes.

Se produire aux BRIT Awards 2013 a été super fantastique, et c'était la même chose pour les Video Music Awards. Certains des plus grands artistes de tous les temps, comme Eminem et Usher, ont joué aux VMA. Dès que notre voiture est arrivée devant le tapis rouge, je me suis rendu compte que c'était vraiment une grosse affaire. Nous étions assis à côté de Pink, Ne-Yo, Drake, Lil Wayne – pour n'en nommer que quelques-uns –, ils étaient tous là. Et puis nous avons gagné trois prix. Chaque fois, nous ne savions pas quoi faire… Nous étions comme des enfants !

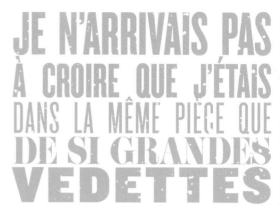

JE N'ARRIVAIS PAS À CROIRE QUE J'ÉTAIS DANS LA MÊME PIÈCE QUE DE SI GRANDES VEDETTES

Oui, Niall, tu as le droit d'entrer !

DES FANS FABULEUX

Nous devons chaque petite parcelle de notre succès à nos fans. Ce sont eux qui ont répandu la bonne nouvelle dès le premier jour. Twitter et Facebook nous ont aidés à faire connaître notre nom, mais sans les fans qui ont parlé de nous, rien n'aurait pu se passer si vite.

Nos fans sont super géniaux partout dans le monde. Nous avons aussi remarqué qu'ils s'habillent à peu près de la même manière partout où nous allons, qu'ils sont incroyablement enthousiastes… et qu'ils crient tous très, très fort.

Le pouvoir des fans de One Direction est tout simplement incroyable. Notre tournée mondiale est à guichets fermés et nous avons eu deux albums numéro un aux États-Unis jusqu'à présent – c'est complètement fou. J'ai une étagère dans le coin du salon de ma maison où je range tous mes trophées, et quand je les regarde je dois me pincer pour y croire. Je vais devoir installer une autre étagère pour ranger toutes nos récompenses. C'est une chose à laquelle je ne m'attendais vraiment pas. Quand on nous donne des plaques indiquant le nombre de disques que nous avons vendus dans le monde, j'en suis abasourdi. Tout ça, grâce à nos fans – c'est pourquoi ils sont merveilleux.

Simon Cowell dit que nous avons les fans les plus puissants au monde, et nous sommes d'accord – nous voyons encore les mêmes visages à l'extérieur que quand nous tournions *The X Factor*.

Nos fans nous offrent beaucoup de nourriture quand nous sommes en voyage et j'adore ça. Par exemple, en Australie, nous recevons beaucoup de biscuits Tim Tam et des tubes de Vegemite. J'en reçois probablement plus que les autres – les fans savent que j'adore manger ! Ils fabriquent aussi des livres étonnants, remplis de photos et de citations ; certains comptent 200 pages ! Le travail que cela représente, c'est inouï !

Niall se concentre avant le spectacle à Anvers.
1er mai 2013

ATTERRISSAGE PARFAIT

SUR LA ROUE

En tournée, on ne s'inquiète de rien, sauf de donner un bon show tous les soirs. Nous sommes comme une grande famille et tout le monde s'amuse. Nous prenons quelques verres après le spectacle et l'ambiance est super cool.

Le décor de scène de la tournée est splendide – nous l'adorons tous. L'équipe dit n'avoir jamais vu de scène si complexe. Notre directeur de plateau y a travaillé pendant des mois et des mois avant que nous puissions le voir. Nous avions tous fait des suggestions, et quand nous l'avons vu pour la première fois nous avons été complètement soufflés.

Ce qui est bien, en tournée, c'est le temps libre. Harry se plaignait l'autre jour de ne pas avoir le temps de pratiquer la guitare, mais il peut le faire autant qu'il le veut en tournée. Quand je suis en voyage, dès que j'ai une minute je prends une guitare, peu importe à qui elle appartient. Et, bien entendu, bouffer fait passer le temps!

Nous regardons beaucoup de DVD dans l'autocar de tournée – des choses comme *Only Fools and Horses* et des films de gangsters comme *Les Affranchis* et *Scarface*. Nous écoutons aussi plein de musique. J'apporte toujours mon ordinateur portable pour pouvoir aller sur Skype. J'ai donné un iPad à mon père pour communiquer avec lui sur Skype. C'est le seul présent qu'il a accepté avec plaisir! Avec ma guitare et mon ordinateur portable, je peux vivre un bon bout de temps – mais j'apporte aussi des tas de chaussettes et de sous-vêtements!

Voyager est l'un des aspects les plus agréables des tournées. À la fin d'un show, on a un buzz pendant environ une demi-heure, et c'est très difficile – voire impossible – d'aller directement au lit après avoir joué devant 20 000 personnes, alors nous nous relaxons dans le car et jouons avec la PlayStation. Si nous sommes à l'hôtel, nous prenons un verre ou nous allons à la salle de conditionnement physique.

Nous nous entendons super bien avec notre équipe de sécurité. Ils sont toujours prêts à s'amuser et nous nous taquinons beaucoup les uns les autres. Nous jouons des tours sans arrêt. Comme Zayn et moi dormons beaucoup, il nous arrive de manquer des choses.

Faire la grasse matinée est probablement ce que j'aime le plus au cours des tournées. Harry se lève à sept heures pour aller s'entraîner. Louis et Liam se lèvent assez tôt aussi. Moi, je fais un peu d'exercice, mais c'est pour prendre du poids, alors je bois des tas de boissons protéinées pour conserver ma force.

Nous n'avons pas besoin de nous rendre à la salle de concert avant 16 heures, de sorte que tout le monde est plutôt calme. Comme nous n'avons pas besoin de beaucoup de sécurité non plus, l'ambiance est super dans le band – en général, c'est plus relaxant que les tournées promotionnelles. Quand on fait de la promo, il n'y a pas deux journées pareilles et le rythme est parfois démentiel. En tournée, nous menons une vie routinière, ce qui est bien, surtout quand cela dure deux mois ou, comme la tournée mondiale, huit mois !

Si nous devons entrer en scène à 20 h 30, je m'habille vers 20 heures, puis je me brosse les dents. Lou, notre styliste, ne nous coiffe que quelques minutes avant le spectacle, puis je me mets de l'après-rasage (même si personne dans la foule ne peut s'en rendre compte).

Juste avant d'entrer en scène, nous nous réunissons tous les cinq et faisons quelques blagues stupides. Il y a des choses que nous disons à chaque fois, mais avec des accents différents, et nous improvisons le reste. Nous sommes moins nerveux quand il s'agit de notre propre show que lors d'une émission de télé que le monde entier verra. Il nous arrive encore d'être un peu anxieux, surtout quand nous attendons dans les coulisses, parce que nous avons tellement hâte de commencer, mais si nous commettons des erreurs nous savons en rire. C'est un peu différent à la télé, en direct.

La tournée mondiale a été l'expérience la plus folle que j'aie jamais vécue. C'était la première fois que nous nous produisions dans des stades et nous avons eu la chance de le faire partout dans le monde. Nous aimons nos deux albums et c'était génial d'interpréter des chansons que nous n'avions jamais faites en public. Nous devons mémoriser des tas de trucs au sujet du show et nous avons souvent des surprises. Nous sommes si fiers des idées que nous avons suggérées!

Chacun a eu son mot à dire à propos de chaque petit détail. Mais pas de manière autoritaire. En fait, nous voulions simplement participer le plus possible à l'élaboration du spectacle. Des choses comme les t-shirts – nous ne voulions pas qu'ils soient banals, mais cool et différents. Louis, par exemple, imagine toujours le genre de t-shirt que ses sœurs aimeraient porter.

En tournée, je joue de la guitare sur cinq chansons et j'adore ça. Ça rend le spectacle encore plus excitant pour moi. J'aime aussi le fait que notre show n'est pas trop structuré et que chaque soir nos chorégraphies et nos interactions avec la foule sont différentes. C'est bien de pouvoir secouer un peu la cage.

ET APRÈS ?

Où
NOUS
ALLONS

Notre troisième album progresse vraiment bien. La chose la plus importante est de composer de la musique que les fans vont aimer. Notre signature sonore sera un peu plus mature. Ce sera moins pop et plus band, et ça racontera ce qui se passe à l'heure actuelle dans nos vies. Nous avons tous beaucoup écrit et nous travaillons fort pour que notre musique soit incroyable.

Nous avons eu un véritable choc quand on nous a demandé de tourner un film, mais nous étions aux anges. Se voir en 3D est complètement fou et le tournage a été génial. Dès le début de notre carrière, nous avons été entourés de caméras, alors cela ne nous inquiétait pas beaucoup. Nous savions à quoi nous attendre. Déjà, à *The X Factor*, nous nous couchions et nous réveillions sous l'objectif des caméras.

Nous sommes toujours en train de déconner et le film le montre bien. Une fois, lors d'une séance photo, j'ai enroulé un bandage autour de la tête de Liam et je lui ai enfoncé une banane dans la bouche. On riait tous comme des fous. Dommage qu'il n'y ait pas eu de caméras, mais nous ne voulions pas faire de mises en scène uniquement pour les caméras. Nous voulions quelque chose de vrai.

Il y avait tellement d'autres bonnes scènes! Des heures et des heures d'images. Les séquences étaient intéressantes à monter, parce que les caméramans avaient filmé certaines choses à notre insu. Pendant que nous parlions, par exemple, ils étaient dans un coin et faisaient des gros plans de nos visages…

Le film montre réellement qui nous sommes. Les fans nous voient sur le tapis rouge, mais ils ne nous voient pas nous préparer pour l'occasion. Dans le film, ils pourront voir tout ça.

Nous avons l'impression que le film a documenté tout ce qui nous est arrivé et qu'il est maintenant temps d'entamer un autre chapitre. Nous avons encore tant de choses à accomplir. C'est la meilleure période de toute notre vie. Croisons-nous les doigts pour que ça dure toujours !

D'OÙ
NOUS
VENONS

LANCEMENT

Its been a crazy three-year experience and i honestly wonder how we got here sometimes.

« Les trois dernières années ont été hallucinantes, et, honnêtement, je me demande parfois comment nous avons fait pour arriver où nous sommes. »

Quand je regarde en arrière, je me rends compte à quel point ma vie a changé depuis la naissance de One Direction. Premièrement, je suis un petit peu plus occupé ! Je passe beaucoup moins de temps à la maison, parce que je suis constamment sur la route. La meilleure façon de mettre tout ça en perspective, c'est de dire qu'avant 1D je n'avais même pas de passeport, et maintenant je voyage partout dans le monde. Ç'a été une folle aventure – nous ne savions pas à quoi nous attendre ni ce qui nous arriverait après avoir signé notre premier contrat de disque, mais je n'y changerais absolument rien.

J'ai de très bons souvenirs de la création du band. C'était une période fantastique ; tout était nouveau pour nous et très excitant. Je pense que la première fois que nous nous sommes vraiment sentis comme un band, ce fut pendant la tournée de *The X Factor*. Nous pouvions jouer plus qu'une chanson et donner un véritable show. Ça semblait plus réel ; tout le travail que nous avions fait pour *The X Factor* portait ses fruits. Pour la première fois, nous avons vu jusqu'où nous pourrions aller avec le band.

AVANT 1D, JE N'AVAIS MÊME PAS DE PASSEPORT, ET MAINTENANT JE VOYAGE PARTOUT DANS LE MONDE

DÉCOLLAGE

OÙ NOUS SOMMES ALLÉS

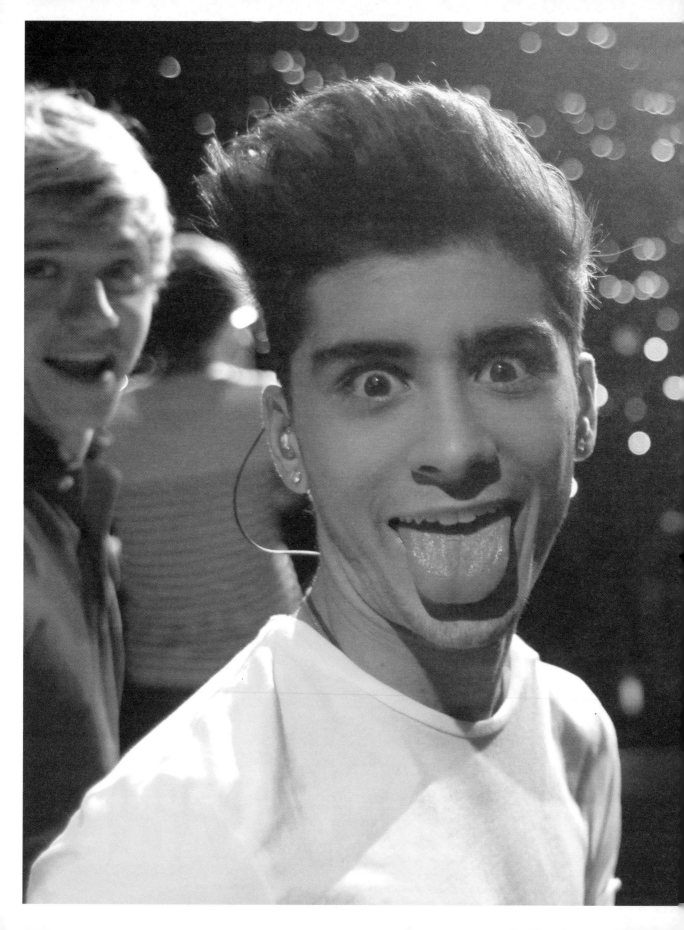

De tous les endroits que nous avons visités, Los Angeles est mon préféré. Toute la Californie est super, mais à L.A. les gens sont tellement chill et le climat est tellement fantastique que tout le monde a l'air de bonne humeur tout le temps.

C'est vraiment cool de visiter toutes sortes de pays. C'est fou de penser que nous pouvons nous réveiller à Londres, prendre l'avion pour l'Italie pour la journée, revenir à la maison et dormir dans nos draps le soir. C'est un vrai tourbillon, mais c'est agréable. Les gens sont toujours très accueillants, dans tous les pays d'Europe – partout, en fait –, et nous nous sentons privilégiés de pouvoir visiter des lieux si fantastiques.

Nous n'avons pas toujours l'occasion de visiter les pays où nous nous produisons, car notre horaire est souvent trop chargé, mais pendant la tournée mondiale nous avons insisté pour faire du tourisme et nous avons découvert des sites extraordinaires. Cela nous donne aussi l'occasion de goûter les diverses cuisines, ce qui, encore une fois, est complètement nouveau pour moi. Maintenant, je mange toutes sortes de choses.

Nous nous sommes vraiment surpassés dans les émissions de télé que nous avons faites. En Espagne, nous avons participé à une émission dans laquelle nous devions faire des expériences scientifiques, comme conduire une voiture sur un lit de clous. C'était complètement dément, mais super intéressant.

Quand nous retournons à *The X Factor,* je suis frappé par la vitesse folle à laquelle tout est arrivé. Il n'y a pas si longtemps, c'est nous qui étions là pour la première fois. Nous aimons tous retourner à l'émission ; nous revoyons des gens que nous avions connus à l'époque, et tout nous est familier. Nous adorons rencontrer les nouveaux concurrents et discuter avec eux de leur expérience à l'émission.

À mon avis, le spectacle que nous avons donné au Madison Square Garden restera l'une des meilleures prestations de notre vie, et c'est une soirée que je n'oublierai jamais. J'étais content que tant de gens que nous connaissons y soient. Quand nous sommes arrivés sur scène, j'ai regardé la foule et j'ai senti une énorme décharge d'adrénaline – rien qu'à penser que nous étions à New York, dans le plus grand amphithéâtre de la ville, j'en avais des frissons. Après le spectacle, nous avons trinqué à notre succès et au chemin parcouru. Combien de gens peuvent se vanter d'avoir joué au Madison Square Garden? C'est dingue.

C'est tellement cool de voir comment les gens vivent ailleurs dans le monde, et j'essaie toujours d'apprendre quelques mots dans les langues étrangères. Je ne suis pas particulièrement doué, mais Harry a du talent et il sait des phrases entières. Le français de Louis est impressionnant, même s'il ne veut pas l'admettre.

Mon souvenir de voyage préféré est un robot que j'ai acheté au Japon, mais j'aime surtout rapporter des cadeaux à mes sœurs, comme des sacs à main et des bijoux – de petites choses que, je le sais, elles aimeront. L'un des avantages de ce job est que nous pouvons faire plaisir à nos proches. Nous avons travaillé fort pour tout ça.

La rencontre qui m'a le plus impressionné a été celle de Will Smith à la remise des Nickelodeon Kids' Choice Awards. J'avais un peu peur qu'il soit hautain, mais Will Smith est un type très cool. Je me suis senti humble devant lui.

J'ai beaucoup de bons souvenirs de nos spectacles. À la fin de la tournée mondiale, j'en aurai encore plus! Les trois dernières années ont été hallucinantes et, honnêtement, je me demande comment nous avons fait pour arriver où nous sommes.

CI-DESSUS : Zayn à la cérémonie de clôture des Jeux olympiques. Le 16 août 2012

COMBIEN DE GENS PEUVENT SE VANTER D'AVOIR JOUÉ AU MADISON SQUARE GARDEN ? C'EST DINGUE

Nous, MAINTENANT

Je pense sincèrement que la meilleure façon de garder les pieds sur terre est de rester proche de ma famille et des personnes qui me connaissaient quand j'étais simplement « Zayn Malik », au lieu de « Zayn de One Direction ». Il faut nous entourer de gens qui nous traitent comme ils l'ont toujours fait, sans tenir compte du groupe. Quand j'étais petit, je n'avais que deux amis, et ils sont toujours de grands copains. Notre amitié est la même – ils continuent à se payer ma tête. Ils me rappellent qui je suis.

Les gens qui me connaissent doivent avoir du mal à croire que je sois devenu célèbre. Un jour, j'ai posé la question à ma sœur aînée et elle m'a répondu que, à ses yeux, la personne qu'elle voit à la télé n'est pas vraiment le petit frère qu'elle connaît. Elle me voit à la maison avec le reste de la famille, faisant des choses normales, comme manger ou regarder la télé, alors pour elle je ne suis pas une vedette.

Toute l'aventure est bizarre pour nous, alors ce doit l'être aussi pour nos familles, mais tout le monde l'accepte et s'en accommode. Mes parents m'ont toujours beaucoup soutenu, même quand je jouais dans des pièces à l'école ou ce genre de chose – ils venaient toujours m'encourager. Ma mère aime toujours assister à nos spectacles et danser sur notre musique. Mes sœurs aussi adorent ça et viennent nous voir chaque fois qu'elles le peuvent.

That moment when we first walk
onstage is indescribable. All
the blood rushes to your head,
your skin tingle and you feel like
you're on fire for about five
minutes. The Adrenalin is unbelievable

« Le moment où nous entrons en scène est indescriptible.
Le sang nous monte à la tête, nos jambes flageolent et nous nous
enflammons pendant environ cinq minutes. L'adrénaline est incroyable. »

La chose la plus importante est de ne pas se
prendre au sérieux. Ce serait pourtant facile dans ce
genre de métier. Nous devons nous rappeler qu'il y
a quelques années, nous menions tous une vie bien
ordinaire. Nous avons simplement eu de la chance,
et ç'a complètement changé notre vie, mais cela ne
signifie pas que nous avons changé, nous.

J'ai toujours voulu faire quelque chose de ma vie.
Au début, c'était ce qui me motivait à faire partie de
1D, mais cela a changé : maintenant, ce sont les fans
et le plaisir de faire partie du band, de jouer avec les
gars. Avant mon audition pour *The X Factor*, j'étais
super nerveux et effrayé. Puis, quand on m'a assigné
un rôle dans le groupe musical, j'ai eu l'impression de
sauter dans le vide, sans filet de protection, puisque je
n'avais jamais rien fait de tel. Mais j'ai pris les choses
une journée à la fois et je me suis donné à fond.

MUSIQUE & PLUS

Je suis fier de tout ce que nous avons accompli sur le plan musical, partout dans le monde. Nous avons fait des choses qu'aucun autre band britannique n'a réussi à faire. Par exemple, avoir deux albums numéro un aux États-Unis est un accomplissement inimaginable. En plus, nous avons été numéro un dans des pays où nous n'avons jamais mis les pieds! Je ne sais pas comment ils ont entendu parler de nous, mais ils achètent nos disques et nous soutiennent, ce qui est très important pour nous. Ils nous envoient même des cadeaux et des cartes de vœux pour nos anniversaires, ce qui est vraiment mignon. Parfois nous recevons des trucs bizarres par la poste, par exemple un bikini. Un jour, une fille m'a expédié des boucles de ses cheveux. Je ne savais vraiment pas quoi en faire!

C'est grâce à nos fans que nous nous sommes rendus jusqu'ici, et c'est pour ça qu'ils occupent une place gigantesque dans One Direction. C'est à eux que nous pensons avant tout. Nous savons que c'est notre musique qui captive leur intérêt, et nous sommes conscients qu'ils veulent écouter des chansons dans lesquelles nous nous impliquons. C'est pourquoi nous essayons d'y mettre une grande part de nous-mêmes. Nous collaborons à leur écriture et participons au travail de production. Nous nous passionnons pour ce que nous faisons, et ça se sent vraiment quand nous sommes sur scène.

Ma chanson préférée sur notre second album est *Summer Love,* parce qu'elle est un peu comme une épopée et qu'elle me rappelle la chanson thème d'un film. Sur le premier album, j'adore *More Than This,* à cause des paroles géniales – lorsque je la chante sur scène, je me sens connecté émotionnellement à cette chanson.

Les cérémonies de remise de prix auxquelles nous avons assisté étaient extraordinaires, autant les Video Music Awards que les BRIT Awards et les Teen Choice Awards. Ma préférée a été les Video Music Awards, parce que toutes les grandes stars y étaient et nous ont vus sur scène.

Pendant notre prestation, j'ai vu dans la foule Rihanna et Katy Perry assises ensemble, discutant de ce que nous faisions. C'était tellement dingue ! J'avais l'impression que c'était un rêve et que j'allais me réveiller d'une seconde à l'autre. Les gens que j'admirais depuis des années étaient là, à me regarder performer. Ouaouh !

Chaque prix est comme un timbre précieux dans l'album de notre carrière, et nous ne nous lassons pas de collectionner les timbres ! Tous mes prix sont dans une armoire du salon, parmi d'autres objets disparates que je possède depuis des années. Naturellement, ce sont mes récompenses qui comptent le plus à mes yeux.

J'AVAIS
L'IMPRESSION
QUE C'ÉTAIT
UN RÊVE ET QUE
J'ALLAIS ME
RÉVEILLER
D'UNE SECONDE
À L'AUTRE

Yes Dublin!
Le 5 mars 2013

DES FANS FABULEUX

Nos fans sont super. Nous adorons nous produire en direct, quand nous pouvons rencontrer le plus de personnes. Nos fans américains sont vraiment enthousiastes et ne sont pas du tout gênés de nous parler, alors que dans d'autres pays ils peuvent être plus réservés. C'est drôle, mais, d'un pays à l'autre, nos admirateurs jettent leur dévolu sur différents membres groupe – Je ne sais absolument pas pourquoi c'est comme ça. Par exemple, les Américains adorent Niall, parce qu'il a cette allure du mec super gentil! Nous ne sommes pas jaloux ou quoi que ce soit, honnêtement!

Nous avons eu tellement de chance d'avoir un appui si incroyable partout dans le monde. Nos fans au Royaume-Uni nous ont aidés à devenir célèbres, et c'est fou comme les choses ont déboulé quand les gens se sont mis à parler de nous sur Twitter et Facebook.

Nous connaissons de nombreux admirateurs par leur nom, parce qu'ils sont avec nous depuis le premier jour, et nous en rencontrons sans cesse de nouveaux. Lorsque nous arrivons à un concert et qu'il y a des milliers de fans qui attendent dehors, ça fait un effet fabuleux. Je ne trouve pas les mots pour dire tout ce que ça représente pour moi. Grâce à eux, mes rêves sont devenus réalité.

Zayn sur scène au 02.
Le 23 février 2013

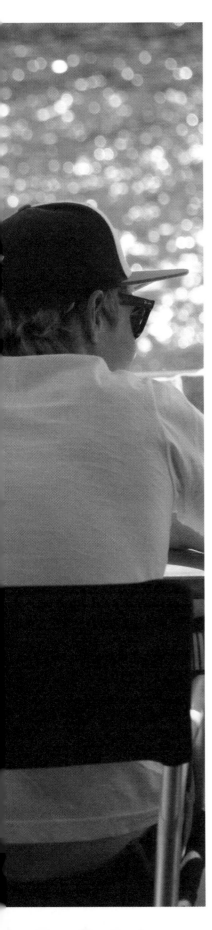

Notre tournée mondiale est sans aucun doute l'une de nos plus grandes réussites. Nous vivons des choses extraordinaires, et j'adore me délasser dans l'autocar de tournée, entre les concerts. Je regarde des films de gangsters, comme *Donnie Brasco* et *Scarface,* et je dors beaucoup. Quand on est en manque de sommeil, on peut se rattraper dans l'autocar.

Et puis, j'ai retrouvé le plaisir de la lecture. Certains livres ont un effet énorme sur moi. En plus, quand je lis davantage, j'écris de meilleures chansons – mon vocabulaire s'enrichit grâce à la lecture et j'ai l'impression d'être plus créatif. J'emporte toujours des livres en voyage, mais aussi mon ordinateur portable et mon téléphone. Je serais complètement perdu sans ces choses. C'est tout ce qu'il me faut, en plus de mes vêtements.

Les autres gars de 1D et moi, on ne se joue plus autant de tours qu'avant : on se défoule plutôt sur les gens de l'équipe ou de la sécurité. On se ligue ensemble et on provoque une bataille en lançant de l'eau, ou des bêtises de ce genre. Il y a de quoi devenir un peu dingue quand on passe des heures et des heures dans un autocar ! Nous passons parfois toute la nuit à déconner et à discuter. Naturellement, le lendemain, je fais la grasse matinée…

Avant la tournée, nous étions un peu nerveux à l'idée de traverser tant de pays différents en si peu de temps et de passer huit mois sur la route, loin de chez nous. Mais nous sommes vraiment excités, parce que ça nous donne la chance de rencontrer des fans et de visiter des endroits étonnants. Quand la tournée a commencé, nous étions tout à fait prêts, car nous avions passé énormément de temps à nous préparer et à peaufiner nos chansons.

Nous avons tous décidé de nous mettre en forme pour la tournée et de continuer à nous entraîner durant le voyage. Nous avons donc un entraîneur particulier, qui nous suit partout. Il est intense – en général, j'ai le dos et la poitrine en compote après une séance à la salle d'exercices –, mais, tout compte fait, je suis dans une meilleure condition physique qu'avant.

C'est génial d'être sur la route, pour toutes sortes de raisons, mais ce que j'aime par-dessus tout, c'est d'avoir la chance de jouer devant nos fans. Nous avons tellement de plaisir sur scène – avec tout ce bruit et toute cette folie ! En fait, la tournée *Take Me Home* est tellement gigantesque que nous avons toute la latitude voulue pour faire plein de choses nouvelles. La scène est très grande et notre répertoire grandit, de sorte que nous pouvons faire participer davantage la foule. C'est tellement important de nous impliquer dans tous les aspects du spectacle, c'est ce que nos fans aiment. Avant la tournée, nous avons eu des tonnes de réunions pour mettre au point tous les détails.

J'adore composer tous les tubes sur lesquels nos fans aiment se déchaîner, et c'est génial de se produire devant un public avec un groupe en première partie. Les 5 Seconds of Summer sont vraiment super. Nous les avons trouvés sur YouTube. Ils sont un peu plus jeunes que nous et jouent de tous les instruments. Ça fait du bien d'avoir un autre groupe de gars en tournée, c'est très stimulant.

Avant un spectacle, je suis nerveux et gonflé à bloc, et je n'arrête pas de gigoter. Ce que nous ressentons en entrant sur scène est indescriptible. Le sang nous monte à la tête, la peau nous picote et nous avons l'impression d'être en feu pendant environ cinq minutes, à cause des décharges d'adrénaline.

En tournée, nous prenons souvent l'avion, si bien que je passe probablement plus de temps dans les airs que sur la terre ferme, ce qui est complètement fou, compte tenu qu'il y a trois ans je n'avais jamais mis les pieds dans un avion.

I know how incredibly lucky we are and we don't take anything for granted.

Je n'ai rien contre l'avion, mais j'ai l'impression d'être un peu déconnecté du reste du monde, puisqu'on ne peut ni téléphoner ni naviguer sur Internet ; il faut regarder le même film encore et encore, lire ou dormir. Ça peut être relaxant, mais je finis par m'ennuyer ferme au bout d'un certain temps. En fait, j'aimerais que quelqu'un invente un système de téléportation pour que nous nous retrouvions instantanément dans un autre pays… Mais, honnêtement, je ne me plains pas – je suis conscient de la chance incroyable que nous avons, et nous ne tenons rien pour acquis.

Nous avons un plaisir fou sur la route et ce sera vraiment bizarre de ne plus être ensemble quand la tournée sera terminée. Si on m'avait dit, il y a trois ans, que je ferais un jour une tournée mondiale de huit mois, je ne l'aurais pas cru. J'ai déjà terriblement hâte à la prochaine tournée, même si nous avons sans doute besoin de faire une pause !

When we turn up to a show and there are thousands of fans outside it really is the best feeling. I can't even begin to say what they all mean to me. They've made my dreams come true.

« Lorsque nous arrivons à un concert et qu'il y a des milliers de fans qui attendent dehors, ça fait un effet fabuleux. Je ne trouve pas les mots pour dire tout ce que ça représente pour moi. Grâce à eux, mes rêves sont devenus réalité. »

ET APRÈS ?

Où
NOUS
ALLONS

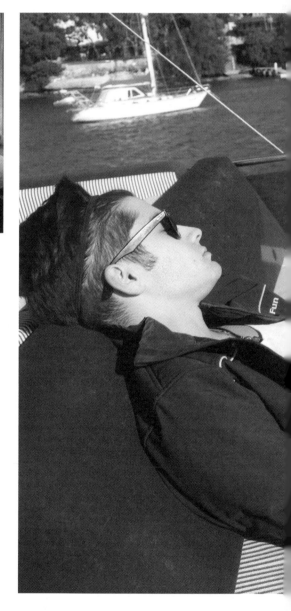

J e n'arrive toujours pas à croire que nous avons fait notre propre film. Dingue, non? C'était réellement intéressant d'être constamment filmé, tous les jours. J'imagine que c'est l'impression qu'on doit avoir quand on est dans la maison de Big Brother.

Le film est super, parce qu'il donne à nos fans l'occasion de voir l'envers du décor, quand nous ne sommes ni sur scène ni à la télé. Il montre ce qui se passe réellement dans notre vie et nous révèle tels que nous sommes. Les spectateurs verront ce qu'il y a derrière tout le glamour et comment nous réagissons dans diverses situations. Ils n'ont pas souvent l'occasion de nous voir tels que nous sommes en réalité, sans artifice. J'avais peur que les gens trouvent ça d'un ennui mortel – et qu'on me voie souvent en train de dormir –, mais le résultat est plutôt étonnant.

C'est complètement bizarroïde de se voir à l'écran, en 3D en plus! Un jour, j'aimerais vraiment jouer la comédie, et notre film est en quelque sorte un pas dans cette direction. Je ne sais pas si c'est un rêve réaliste, mais, si j'en avais l'occasion, et si on me proposait un bon rôle, j'aimerais tenter ma chance comme acteur. J'aimerais surtout faire quelque chose d'artistique et d'un peu étrange. Les gens m'imaginent probablement dans un film de gangsters, un film à gros budget, mais je préférerais essayer quelque chose de plus subtil.

J'aime beaucoup les films britanniques et ce serait vraiment cool de faire quelque chose de ce genre. Je suis aussi très heureux de notre troisième album, parce que nous travaillons de plus en plus sur l'écriture des chansons. Nous sommes vraiment contents d'avoir pu l'orienter davantage vers nos propres choix, car nous avons beaucoup perfectionné notre signature sonore au cours des dernières années. Il ne sera pas terriblement différent de nos deux autres albums, parce que nous aimons notre son, mais nous voulons y apposer notre sceau.

Nous vivons des choses incroyables depuis que nous sommes ensemble et nous voulons continuer à nous éclater et à nous réaliser pleinement. Il y a encore de la place dans mon armoire pour quelques prix de plus… Amenez-les!

MÉGA-
ENTREVUE AVEC
LE GROUPE ID

LES GARÇONS PARLENT D'AMITIÉ, DE BATAILLES POUR RIRE ET DE TATOUAGES...

COMMENT VOTRE AMITIÉ A-T-ELLE ÉVOLUÉ DEPUIS LES DÉBUTS DU GROUPE ?

Séance de photo au Japon.
Le 19 janvier 2013

LIAM : Je pense que notre amitié a changé énormément, mais de manière positive.

LOUIS : Honnêtement, nous sommes les meilleurs amis du monde. Je n'arrive pas à imaginer comment ce serait si nous ne nous entendions pas. Ça rendrait le travail pénible. Même s'il n'y avait qu'un membre du **band** avec qui ça ne marchait pas, ce serait un cauchemar. Nous avons tellement, mais tellement de chance !

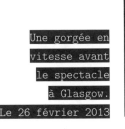

Une gorgée en vitesse avant le spectacle à Glasgow.
Le 26 février 2013

Sur le plateau d'Alan Carr.
Le 28 septembre 2012

HARRY : Nous sommes beaucoup plus proches les uns des autres, maintenant. C'est fou tout ce que chacun sait au sujet des autres ! Nous nous sommes rapprochés rapidement et avons réussi à être honnêtes et à l'aise ensemble dès le départ, mais maintenant tout a été multiplié par dix. Nous savons tous quand faire une plaisanterie et quand laisser un gars tranquille parce qu'il est de mauvaise humeur. Nous nous comprenons parfaitement bien. Nous savons tout sur nos familles respectives et avons l'impression de former nous-mêmes une grande famille.

LIAM: Nous nous sommes toujours bien entendus, mais, au début, chacun avait envie de passer un peu de temps de son côté. Maintenant, nous sommes toujours ensemble. Il nous arrive de nous chamailler, quand nous sommes fatigués, mais c'est fini au bout d'une minute! Nous allons nous défouler avec un ballon et tout est oublié.

Les gars en entrevue
à *Day Break*.
Le 5 octobre 2012

Une bouchée sur le pouce.
Le 31 octobre 2012

1D en Allemagne.
Le 22 novembre 2012

À GAUCHE : *Muchas gracias, España !*
Le 31 octobre 2012

Hello, Dublin !
Le 6 mars 2013

NIALL: Je suis d'accord : notre amitié est maintenant plus forte que jamais. Je pense que c'est parce que nous sommes un peu plus vieux. Nous sommes encore immatures et un peu idiots à l'occasion, mais nous sommes sérieux quand il le faut. Il n'y a pas de cliques au sein du groupe ; nous nous tenons tous ensemble.

VOUS TENEZ-VOUS ENSEMBLE EN DEHORS DU TRAVAIL ?

LIAM: Tout le temps. Quand nous sommes en train de travailler, Louis peut me dire subitement : «Qu'est-ce que tu fais ce soir?» Et nous faisons des choses complètement folles. Nous avons passé quelques nuits blanches à faire des séances d'écriture. Nous avons même pris l'avion pour aller passer une journée en Suède à écrire des chansons, sans dormir du tout. Harry est toujours partant et Niall sort beaucoup avec nous. En plus, nous passons beaucoup de temps chez Zayn.

1D en Espagne.
Le 31 octobre 2012

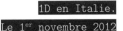

1D en Italie.
Le 1er novembre 2012

LOUIS: Nous passons du temps tous ensemble, mais aussi à deux ou à trois. Ça dépend de notre humeur, parce que nous avons des personnalités différentes. C'est selon les jours. Par exemple, si j'ai envie de rire, je sais que Liam est toujours prêt à déconner, et si j'ai envie de décompresser, je sais que Zayn est toujours relax.

Tournée *Take Me Home* à Cardiff.
Le 1ᵉʳ mars 2013

NIALL: Hier, tous les cinq, nous sommes restés là à bavarder et à manger, même si nous avions du temps libre et que chacun aurait pu partir de son côté. Nous apprécions vraiment ces moments partagés. C'est comme être à l'école avec ses meilleurs amis.

1D à *The One Show*.
Le 16 novembre 2012

ZAYN: C'est fou, parce que, quand nous avons commencé, Louis et Harry étaient vraiment proches, puis Louis et moi sommes devenus très proches, et maintenant nous sommes inséparables. Nous avons tous des amis en dehors du groupe, mais nous nous détendons ensemble et rigolons plus que jamais auparavant. Le plus drôle, c'est que les gens pensent qu'on se rend fous les uns les autres, mais ce n'est pas du tout le cas, bien au contraire ! C'est peut-être une affaire de gars, mais en apprenant à mieux nous connaître nous avons aussi appris quelles sont les limites de chacun. Nous savons ce qui irritera untel et nous nous efforçons de ne pas être désagréables. Au début, nos disputes étaient accidentelles, simplement parce que nous ne nous connaissions pas bien. Maintenant, nous évitons de nous asticoter. Nous préférons rire et nous nous entendons très bien. Comme nous avons tous à peu près le même sens de l'humour, c'est très facile. Ce serait infernal si nous ne nous entendions pas, car nous vivons ensemble presque tout le temps.

Les gars saluent leurs fans.
Le 12 octobre 2012

COMMENT PENSEZ-VOUS QUE LES AUTRES GARS DU GROUPE ONT CHANGÉ DEPUIS LES DÉBUTS DE ONE DIRECTION ?

Participer aux cérémonies de clôture des Jeux olympiques est un événement important dans une carrière.
Le 16 août 2012

Tout ce qu'il faut à ces micros, ce sont des pop stars.

Harry sur scène à Dublin.
Le 5 mars 2013

LOUIS: J'aimerais croire que nous n'avons pas vraiment changé, que nous sommes les mêmes personnes. Nous avons sans doute pris un peu de maturité, parce que nous ne vivons plus avec nos parents et que nous avons maintenant des responsabilités.

NIALL: En même temps, nous déconnons encore beaucoup. Récemment, quelqu'un a eu l'idée de faire une chanson sur une célèbre chaîne de restaurants de poulet frit, et tout le groupe s'est mis de la partie. On aime rigoler et s'éclater ! Nous pouvons être tout à fait sérieux lorsque la situation l'exige, mais nous sommes comme nous sommes, et tous plutôt relax. Nous étions des personnes authentiques quand nous sommes arrivés dans le groupe, et ça n'a pas changé.

NOUS, MAINTENANT 269

LIAM : Je ne pense pas qu'aucun de nous ait changé tant que ça. Louis est certes plus organisé qu'il ne l'était autrefois, il a pris le dessus sur ses courriers électroniques et tout le reste, si bien qu'il me fait mal paraître. Harry, quant à lui, est sorti de sa coquille. Au début, il était beaucoup plus discret. Et Niall s'est adapté. Il a dû changer de pays pour s'installer à Londres avec le groupe, et c'était toute une affaire pour lui. Zayn est toujours pareil. Zayn, c'est Zayn.

1D s'amène aux États-Unis !
Le 9 novembre 2012

En studio.
Le 16 août 2012

HARRY : Zayn aime passer beaucoup de temps avec nous, mais il aime aussi avoir du temps à lui. Liam déconne beaucoup plus qu'au début. Niall n'a pas changé ; Louis non plus. Louis prend de la place et il est taquin - il aime tester les limites des autres. Il est plutôt direct et dit ce qu'il pense. Ça prend quelqu'un comme ça, car il est super pour défendre le groupe.

ZAYN : À mon avis, Harry a pris beaucoup de maturité depuis les débuts du groupe ; il a davantage confiance en lui et il est plus indépendant. Louis est demeuré exactement le même ; il a toujours été dingue, et il l'est encore. Liam était un peu coincé avant, mais il est plus relax maintenant. Désolé, Liam ! Je ne pense pas avoir tellement changé, pas plus que Niall. J'ai probablement un peu plus confiance en moi, mais, à part ça, j'ai toujours les mêmes croyances et les mêmes principes, et je suis le même gars.

Les gars sont invités à l'impressionnant *Ellen Show*. Le 13 novembre 2012

Les gars en répétition pour les Video Music Awards. Le 4 septembre 2012

LIAM : J'ai changé sur un point : j'aime aller en boîte maintenant. Ça ne me plaisait pas autrefois. Il y a aussi mes tatouages. J'imagine que ça aussi c'est un changement. Lorsque je me suis fait tatouer le bras, je me suis demandé si le dessin n'était pas un peu gros et j'ai eu peur de le regretter un jour, mais pour le moment j'adore ce tatouage. Je suis en train de m'en faire faire d'autres, au grand désespoir de ma mère, si bien que celui sur le bras finira probablement par avoir l'air moins gros.

À PART NIALL, VOUS AVEZ TOUS PLUSIEURS TATOUAGES MAINTENANT !

HARRY : Je pense constamment aux nouveaux tatouages que j'aimerais avoir, alors j'imagine que j'en aurai quelques autres bientôt.

LIAM : Nous sommes tous devenus des adeptes des tatouages, sauf Niall, sans doute le membre du groupe le plus sain d'esprit actuellement. Mais je pense que les tatouages racontent une histoire, et j'aime beaucoup les miens.

NIALL : Je ne compte pas me faire tatouer, pas pour le moment. J'aimerais peut-être me faire tatouer le logo de 1D sur une fesse, mais je ne sais pas si je vais le faire.

ZAYN : Je ne compte plus mes tatouages. Je dois en avoir une quarantaine et je veux en avoir d'autres.

LOUIS : Une fois qu'on a un tatouage, on dirait qu'on ne peut plus s'arrêter. Cela ne m'étonnerait pas que je finisse par m'en faire faire d'autres.

Les gars pendant une promo en Irlande.
Le 12 octobre 2012

QU'EST-CE QUE VOS AMITIÉS DANS LE GROUPE SIGNIFIENT À VOS YEUX ?

LIAM : Elles sont extrêmement importantes à mes yeux. Je ne pense pas que j'aurais connu ce genre d'amitié si je n'avais pas été dans le groupe. Je suis encore ami avec mes copains d'avant, mais c'est différent avec les gars du groupe, parce que nous passons tant de temps ensemble. Je sais que c'est un cliché, mais nous sommes comme des frères.

NIALL : Rien de tout ça ne serait arrivé si nous n'étions pas de vrais amis. Les gens auraient perçu un malaise et nous n'aurions jamais eu autant de succès.

LOUIS : Notre amitié est vraiment importante pour notre santé mentale et pour la cohésion du groupe. Les gens voient que nous avons du plaisir ensemble et je pense que c'est une des raisons pour lesquelles ils nous aiment.

ZAYN: Il n'y a pas beaucoup de gens qui sont dans la même situation que moi et qui savent ce que je vis, mais les quatre autres gars du groupe le savent, eux. Nous sommes tous dans le même bain. Nous nous comprenons, et nous le sentons quand l'un de nous a des problèmes ou qu'il veut être seul. Je sais que je peux faire confiance aux gars dans toutes les circonstances et qu'ils ne trahiront jamais cette confiance. Aucun de nous ne ferait jamais rien pour nuire aux autres. Dans ce groupe, chacun a besoin des autres ; nous devons nous aider mutuellement.

HARRY: J'ai beaucoup de vieux copains à la maison, des copains que je connais depuis plus de dix ans, mais je me sens plus proche des gars du groupe, même si je ne les connais que depuis trois ans. J'avais peur de perdre de vue tous mes copains d'école. Il y en a quelques-uns à qui je ne parle plus aussi souvent, mais c'est seulement parce que nous sommes très occupés, maintenant. Je crois que les gens ont tendance à rencontrer leurs amis les plus proches à l'université, et, en ce moment, c'est un peu comme mes années d'université. Je peux me confier à tous les gars du groupe et je leur fais entièrement confiance.

Ciao Italia.
Le 1er novembre 2012

The X Factor, version suédoise.
Le 2 novembre 2012

DES QUESTIONS EN RAFALE.
QUI EST LE PLUS EXTRAVERTI ?

Liam : Louis.

Niall : Louis.

Zayn : Louis.

Harry : Louis.

Louis : C'est nettement moi. Ça ne me fait rien de le dire.

LE PLUS DRÔLE ?

Liam : Louis.

Niall : Louis.

Zayn : Louis.

Harry : Louis.

Louis : Zayn est pas mal drôle, à sa manière. Il est tranquillement drôle.

LE PLUS EFFRONTÉ ?

Liam : Louis.

Louis : Je dirais Harry.

Zayn : Je suis d'accord. Harry peut être très effronté quand il veut.

Niall : Bah, je dirais que c'est encore Louis.

Harry : Je peux être pas mal effronté, mais je pense quand même que Louis l'est plus que moi.

LE PLUS CALME ?

Liam : Je dirais que je suis pas mal calme.

Louis : Niall est vraiment relax.

Niall : Je vais dire que c'est Harry.

Zayn : Je pense que je suis le plus calme.

Harry : J'imagine que c'est moi ou Zayn. J'ai une voix plutôt caverneuse, de sorte que je donne l'impression d'être calme, même quand je ne le suis pas.

QUI PEUT TOUT SE PERMETTRE ET S'EN TIRER ?

Liam : Niall. Grâce à son charme irlandais.

Louis : Harry peut se permettre bien des choses et s'en tirer. Il sait exploiter son charme à la perfection.

Harry : Je pense que Louis peut se permettre bien des choses, parce qu'il sait comment tout faire tourner à la plaisanterie.

Niall : Je dirais moi aussi que c'est toi, Louis. On te pardonne tout.

Zayn : Je vais encore dire que c'est moi. Il me semble que je finis souvent par faire les choses à ma tête. Notre directeur de tournée, Paul, me passe beaucoup de choses, ce que les autres gars lui reprochent. Si je me lève tard, il ne me dit rien, alors qu'il réprimanderait probablement les autres.

Niall : En fait, c'est vrai. Je n'avais pas pensé à ça. Tu peux te permettre beaucoup de choses avec Paul, Zayn.

QUI EST LA FIGURE PATERNELLE DU GROUPE ?

Zayn : Ç'a changé. Autrefois, c'était Liam, mais maintenant je n'en suis plus sûr…

Liam : Je pense que je joue encore au papa, d'une certaine façon. J'étais un peu autoritaire, mais je suis beaucoup plus relax maintenant. J'entre dans le mode « interrogatoire » seulement en cas de problème.

Niall : C'est carrément Liam. Il joue encore au père avec nous, lorsqu'il le faut.

Louis : C'était Liam autrefois, mais je pense que nous l'avons corrompu. Aujourd'hui, ça dépend des jours. Quand l'un de nous se sent plus sérieux que les autres, il prend la situation en main. Ça change.

Harry : Je peux agir comme un père, s'il le faut, tout comme Liam, mais notre directeur de tournée, Paul, est celui qui s'acquitte de cette tâche avec le plus d'autorité. Il est le sixième membre du groupe.

Liam : En tournée, Paul est notre papa à tous.

VERS QUI VOUS TOURNEZ-VOUS QUAND ÇA NE VA PAS ?

Zayn : Louis, même s'il est dingue, a un côté vraiment sensible et il est très sensé. Ça fait du bien de lui parler quand on a besoin des conseils de quelqu'un qui a la tête sur les épaules.

Liam : Je me confie à Louis et à Paul. Quand il y a quelque chose qui ne va pas, c'est génial de pouvoir leur parler.

Niall : Je parle beaucoup à Paul, mais je peux parler de tout à n'importe quel membre du groupe.

Harry : Je parle à la personne qui se trouve devant moi. Si les gars ne sont pas dans les parages, je peux discuter avec des gens de l'équipe, si nous sommes en tournée, parce que nous sommes vraiment proches d'eux.

Louis : J'ai l'impression que je peux me tourner vers n'importe lequel des gars. Je deviens un peu grognon lorsque je suis fatigué ou que j'ai faim et, dans ces moments-là, je veux seulement m'asseoir et bavarder avec les autres gars pour m'aérer l'esprit. Il m'arrive aussi de trouver difficile d'être loin de la maison. Les autres gars me remontent le moral quand je déprime un peu, et vice versa.

FAITES-VOUS DES CONCOURS DE BRAS DE FER ET DES BAGARRES POUR RIRE ?

Liam : Nous avons déjà fait des concours de bras de fer, mais je ne suis pas très bon. J'ai gagné une fois, à l'époque où j'allais souvent à la salle de sport, et j'espère que je vais gagner de nouveau, maintenant que je m'entraîne.

Zayn : J'ai battu tous les gars aux concours de bras de fer. Ils n'aiment pas l'admettre, mais c'est vrai !

Louis : Pour nous amuser, nous aimons surtout déclencher des bagarres idiotes, pour rire.

Harry : Autrefois, nous nous chamaillions avec Paul, pour le plaisir, dans l'autocar de tournée, mais il est si fort que nous le laissons maintenant tranquille.

Niall : Comme je me suis déjà entaillé le pouce accidentellement en me battant avec Paul, et que j'ai dû me faire recoudre la plaie, nous sommes plus prudents maintenant. Nous n'avons pas besoin d'autres accidents.

Les trois dernières années ont été extraordinaires et nous sommes infiniment fiers de ce que nous avons accompli, mais nous n'aurions jamais réussi à faire tout cela sans le soutien de notre équipe, de nos amis, de nos familles, et, surtout, sans VOTRE soutien – car vous êtes vraiment les fans les plus fabuleux du monde!

Nous aimerions remercier Simon, Sonny et tout le monde chez Syco pour leur soutien indéfectible. Merci à Natalie Jerome, Becky Glass, Georgina Atsiaris, Ben Gardiner, Martin Topping et tous les gens de HarperCollins qui ont su faire de ce livre le reflet de ce que nous sommes vraiment. Merci aussi à Richard, Harry, Will, Marco, Kim et tout le monde chez Modest! pour vos précieux conseils et vos encouragements. Et un merci tout spécial à Jen Kelly, Targa Sahyoun, Luis Pelayo @ L2 Digital, et Ben Gonzalez.

Enfin, nous aimerions dire un énorme merci à nos fabuleux fans. Vous êtes vraiment les meilleurs fans du monde! Rien de tout cela ne serait possible sans vous, et nous ne pourrons jamais vous remercier assez. Nous vous adorons!

Tout plein d'amour de nous tous!

Harry, Liam, Louis, Niall et Zayn xx

Les membres de One Direction affirment légitimement leur droit moral de se dire les auteurs de ce livre.

Merci à Jordan Paramor.

Design : Ben Gardiner

Le photographe officiel de One Direction est Calvin Aurand.

Cadre dans l'industrie de la musique, Calvin Aurand est devenu cinéaste et photographe de concert. Au cours des 18 derniers mois, il a suivi One Direction en tournée, se servant de son point de vue unique et de son accès aux coulisses pour documenter le voyage du groupe autour du monde. Pour plus d'information, visitez le site www.krop.com/calvinaurand.

Toutes les photos, protégées par droit d'auteur, sont de Calvin Aurand, à l'exception des photos suivantes : p. 4-5, 8-9, 12-13, 14, 34-35, 42, 46, 48-49, 50, 56-57, 60-61, 66 (à gauche) 72-73, 79 (à droite), 81 (à droite), 84-85 (au centre), 90-91 (au centre), 92-93, 94-95, 96-97, 100 (en haut à gauche et au milieu à gauche), 101, 108-109, 110, 114-115 (au centre), 118-119 (au centre), 120-121, 123, 131 (à droite), 132 (en bas), 135 (à droite), 136 (en haut), 150-151, 154-155, 160-161 (à droite), 172-173, 183, 206-207, 208-209, 210-211, 224-225, 230, 232-233 (au centre), 236, 241 (en bas), 246-247 et 265, © Myrna Suarez / Twin B Photography

Pages 28-29 (à gauche) et 74-75 (à droite), © Will Bloomfield

Photos d'Instagram aux p. 19, 23, 29, 32, 36, 38, 40, 44, 64, 67, 78, 82, 89, 90, 115, 126, 131, 132, 136, 137, 160, 165, 169, 176, 182, 187, 188, 212, 218, 222, 234, 237, 259, 260, 261, 263, 264, 265, 269, 270, 271, 275, 277, 278 et 279, extraites des données d'Instagram sur One Direction : instagram.com/1dagram/

Suivez-nous sur le Web

Consultez nos sites Internet et inscrivez-vous à l'infolettre pour rester informé en tout temps de nos publications et de nos concours en ligne. Et croisez aussi vos auteurs préférés et notre équipe sur nos blogues !

EDITIONS-HOMME.COM
EDITIONS-JOUR.COM
EDITIONS-PETITHOMME.COM
EDITIONS-LAGRIFFE.COM

MIX
Paper from responsible sources
FSC® C007454

Imprimé en Italie par Lego

10-13

L'ouvrage original a été publié par HarperCollins*Publishers*, sous le titre *Where We Are*

Dépôt légal : 2013
Bibliothèque et Archives nationales du Québec

ISBN 978-2-7619-3905-8

DISTRIBUTEURS EXCLUSIFS :

Pour le Canada et les États-Unis :
MESSAGERIES ADP*
2315, rue de la Province
Longueuil, Québec J4G 1G4
Téléphone : 450-640-1237
Télécopieur : 450-674-6237
Internet : www.messageries-adp.com
* filiale du Groupe Sogides inc.,
   filiale de Québecor Média inc.

Pour la France et les autres pays :
INTERFORUM editis
Immeuble Paryseine, 3, allée de la Seine
94854 Ivry CEDEX
Téléphone : 33 (0) 1 49 59 11 56/91
Télécopieur : 33 (0) 1 49 59 11 33
Service commandes France Métropolitaine
Téléphone : 33 (0) 2 38 32 71 00
Télécopieur : 33 (0) 2 38 32 71 28
Internet : www.interforum.fr
Service commandes Export – DOM-TOM
Télécopieur : 33 (0) 2 38 32 78 86
Internet : www.interforum.fr
Courriel : cdes-export@interforum.fr

Pour la Suisse :
INTERFORUM editis SUISSE
Case postale 69 – CH 1701 Fribourg – Suisse
Téléphone : 41 (0) 26 460 80 60
Télécopieur : 41 (0) 26 460 80 68
Internet : www.interforumsuisse.ch
Courriel : office@interforumsuisse.ch
Distributeur : OLF S.A.
ZI. 3, Corminboeuf
Case postale 1061 – CH 1701 Fribourg – Suisse
Commandes :
Téléphone : 41 (0) 26 467 53 33
Télécopieur : 41 (0) 26 467 54 66
Internet : www.olf.ch
Courriel : information@olf.ch

Pour la Belgique et le Luxembourg :
INTERFORUM BENELUX S.A.
Fond Jean-Pâques, 6
B-1348 Louvain-La-Neuve
Téléphone : 32 (0) 10 42 03 20
Télécopieur : 32 (0) 10 41 20 24
Internet : www.interforum.be
Courriel : info@interforum.be

Gouvernement du Québec – Programme de crédit d'impôt pour l'édition de livres – Gestion SODEC – www.sodec.gouv.qc.ca

L'Éditeur bénéficie du soutien de la Société de développement des entreprises culturelles du Québec pour son programme d'édition.

Conseil des Arts du Canada   Canada Council for the Arts

Nous remercions le Conseil des Arts du Canada de l'aide accordée à notre programme de publication.

Nous remercions le gouvernement du Canada de son soutien financier pour nos activités de traduction dans le cadre du Programme national de traduction pour l'édition du livre.

Nous reconnaissons l'aide financière du gouvernement du Canada par l'entremise du Fonds du livre du Canada pour nos activités d'édition.

Merci à toutes les personnes de partout dans le monde qui ont participé au concours. Nous avons reçu des milliers de dessins incroyables et ceux-ci sont les meilleurs parmi les meilleurs !

Flags © leurs propriétaires respectifs comme suit: Afrique du Sud: Elize Hattingh, Ané Mac Donald, Marenique van Niekerk; Allemagne: Nadia Staiger et Yating Hong Wang; Arabie Saoudite: Reem Siddiqui et Tasnim M. Fahmy; Argentine: Daniela Verdié; Australie: Katelyn Collins; Autriche: Melanie Reisenbichler; Belgique: Shauni Crispyn; Bermudes: Hannah Marshall; Canada: Gurleen Virk; Chine: Juno Wang, Eden et Megan; Colombie: Jennifer Andrea Escobar Quistial; Danemark: Idi